COLLECTION
L'IMAGINAIRE

Marguerite Duras

L'après-midi de Monsieur Andesmas

Gallimard

Je viens d'acheter une maison. L'endroit est très beau. On se croirait en Grèce. Les arbres qui entourent la maison sont à moi. Il y en a un qui est énorme et qui, en été, donnera une ombre telle que jamais je ne souffrirai de la chaleur. Je vais faire construire une terrasse. De cette terrasse, le soir, on verra les lumières de G...

Il y a ici des moments de lumière absolue, accusant tout, polyvalente, et en même temps précise, s'acharnant sur un seul objet...

Propos entendu dans l'été 1960.

CHAPITRE PREMIER

Il déboucha du chemin sur la gauche. Il arrivait de cette partie de la colline complètement recouverte par la forêt, dans le froissement des petits arbustes et des buissons qui en marquaient l'abord vers la plate-forme.

C'était un chien roux, de petite taille. Il venait sans doute des agglomérations qui se trouvaient sur l'autre pente, passé le sommet, à une dizaine de kilomètres de là.

La colline de ce côté-ci s'affaissait abruptement vers la plaine.

Alors qu'il avait débouché du chemin d'un pas alerte le chien longea le précipice, soudain flâneur. Il huma la lumière grise qui recouvrait la plaine. Dans cette plaine

il y avait des cultures qui entouraient un village, ce village, et de nombreuses routes qui
en partaient vers une mer méditerranéenne.

Il ne vit pas tout de suite l'homme qui
était assis devant la maison — la seule
maison qui était sur son parcours depuis
les lointaines agglomérations de l'autre versant — et qui regardait lui aussi ce même
espace vide illuminé que traversaient parfois des compagnies d'oiseaux. Il s'assit,
haletant de fatigue et de chaleur.

Ce fut à la faveur de ce répit qu'il devina
que sa solitude n'était pas totale, qu'elle se
défaisait derrière lui à cause de la présence
d'un homme. Les très légers et très lents
grincements du fauteuil d'osier sur lequel
M. Andesmas était assis suivaient le rythme
de sa respiration difficile, et ce rythme à
l'ordonnance sans analogue ne trompa pas
le chien.

Il retourna la tête, découvrit la présence
de l'homme, dressa les oreilles. Toute fatigue cessante, il l'examina. Il devait connaître cette plate-forme qui s'étendait devant
la maison depuis qu'il était en âge de par-

courir la montagne et de s'y reconnaître. Mais il ne devait pas être assez vieux pour en avoir connu d'autre propriétaire que M. Andesmas. Ça devait être la première fois qu'un homme se trouvait là, sur son parcours.

M. Andesmas ne bougea pas, il ne marqua au chien aucun signe d'inimitié, ou d'amitié.

Le chien le regarda peu de temps de cette façon contemplativement fixe. Intimidé par cette rencontre et se trouvant obligé d'en faire les frais, il baissa les oreilles, fit quelques pas vers M. Andesmas, en remuant la queue. Mais très vite, son effort n'étant récompensé par aucun signe de la part de cet homme, il renonça, s'arrêta net avant de l'atteindre.

Sa fatigue lui revient, il halète à nouveau, et repart à travers la forêt, cette fois en direction du village.

Il devait venir chaque jour dans cette colline, à la recherche des chiennes ou de nourriture; il devait aller jusqu'à ces trois hameaux du versant ouest, chaque jour, faire ce parcours très long dans l'après-midi à la recherche d'aubaines diverses.

— De chiennes, de détritus, pense M. Andesmas. Je reverrai ce chien qui a ses habitudes.

Il faudra de l'eau à ce chien, donner de l'eau à ce chien, marquer, ici, d'un réconfort, ses longues courses à travers la forêt, de village en village, dans la mesure du possible faciliter son existence difficile. Il y a cette mare, à un kilomètre d'ici, où il peut boire aussi certes, mais de la mauvaise eau, fade, épaissie de suc d'herbes. Verte et gluante devait être cette eau, alourdie des larves de moustiques, malsaine. Il faudra de la bonne eau pour ce chien si désireux de sa joie quotidienne.

Valérie lui donnerait à boire, à ce chien, du moment qu'il passerait devant sa maison.

Il revint. Pourquoi? Il traversa encore une fois la plate-forme qui donnait sur le vide. Encore une fois il regarda cet homme. Mais bien que, cette fois, celui-ci lui fit un signe d'amitié, il ne s'en approcha plus. Lentement, il s'en alla pour ne plus revenir ce jour-là. Il avait transpercé de sa coulée colorée l'espace gris à la hauteur du vol des oiseaux. Si discrète avait été sa marche sur les roches de grès qui bordaient l'à-pic, qu'elle avait cependant tracé, du raclement sec de ses ongles sur les roches, dans l'air environnant, le souvenir d'un passage.

La forêt était épaisse, sauvage. Ses clairières étaient rares. Le seul chemin qui la traversait — le chien le prit, cette fois — tournait très vite après la maison. Le chien tourna et disparut.

M. Andesmas souleva son bras, regarda sa montre, vit qu'il était 4 heures. Ainsi, pendant le passage du chien, Michel Arc avait commencé à prendre du retard sur l'heure du rendez-vous qu'ils avaient fixé ensemble, il y avait deux jours, sur cette plate-forme. Michel Arc avait dit que 4 heures moins le quart était une heure qui lui convenait. Il était 4 heures.

Son bras une fois retombé, M. Andesmas changea de position. Le fauteuil d'osier craqua plus fort. Puis, de nouveau, il respira régulièrement autour du corps qu'il contenait. Le souvenir déjà imprécis du chien orangé s'estompa et M. Andesmas ne fut plus entouré que par sa masse très grosse de soixante-dix-huit ans d'âge. Celle-ci s'ankylosait facilement dans l'immobilité, et de temps en temps M. Andesmas la déplaçait, la remuait un peu dans le fauteuil d'osier. Ainsi supportait-il l'attente.

4 heures moins le quart, avait dit Michel Arc. Mais la saison était encore chaude et sans doute les siestes duraient-elles plus tard en été dans ce pays-ci qu'ailleurs. Les siestes de M. Andesmas, elles, étaient égales, toujours médicales, en été, en hiver, strictement. C'est pourquoi il dut se souvenir des siestes des autres, siestes du samedi, profondes, sous les arbres des places du village, amoureuses, parfois, dans les chambres.

— C'est pour la construction d'une terrasse, avait expliqué M. Andesmas à Michel Arc, une terrasse qui surplomberait la vallée, le village et la mer. De l'autre côté de la maison, une terrasse serait inutile, mais de ce côté-ci, elle s'impose. Bien que je sois prêt à dépenser ce qu'il faut pour que cette terrasse soit belle, grande et solide, je voudrais par principe, bien entendu, et vous le comprenez sûrement monsieur Arc, un devis. Du moment que cette terrasse est un désir de ma fille, Valérie, je suis prêt à un sacrifice d'argent important. Mais le devis reste cependant de rigueur, vous le comprenez.

Michel Arc comprenait.

Valérie va acheter l'étang au bord duquel le chien s'est reposé. C'est entendu.

Il n'y a dans la forêt aucune autre construction que cette maison que M. Andesmas vient d'acquérir. Celle-ci occupe avec ses cours toute la surface du plus haut des paliers qui, de bond en bond, étagent la pente de la colline jusqu'à la plaine, le village, et à la mer aujourd'hui calme.

M. Andesmas habite ce village depuis un an, depuis qu'il a atteint cet âge suffisamment avancé pour se faire une raison de cesser tout travail et d'attendre, dans l'oisiveté, la mort. C'est la première fois qu'il voit la maison achetée par lui pour Valérie.

Quand le lilas fleurira mon amour
Quand le lilas fleurira pour toujours

Dans la vallée, quelqu'un le chanta. Peut-être la sieste finissait-elle? Peut-être, oui, finissait-elle. Le chant venait du village sûrement. De quel autre endroit aurait-il pu venir? Entre ce village et la maison nouvellement acquise par M. Andesmas pour son enfant, Valérie, en effet, aucune autre construction ne s'élevait.

Aucune autre, aucune autre que la tienne. Et celle-ci s'excepte désormais, du fait de son appartenance à toi, du sort de toute autre, d'une autre quelconque qui eût pu, aussi bien, à la place de la tienne, faire cet accident blanc de chaux vive dans la forêt de pins.

— J'ai acheté cette maison, avait expliqué M. Andesmas à Michel Arc, surtout parce qu'elle est unique dans son genre. Autour d'elle, voyez, la forêt, rien que la forêt. Partout, la forêt.

Le chemin cessait d'être carrossable à cent mètres de la maison. M. Andesmas était venu en voiture jusqu'à ce point, où il cessait de l'être, une clairière au terrain aplani où les autos pouvaient faire demi-tour. Valérie l'avait conduit, puis elle était repartie. Elle n'était pas descendue de l'auto, elle n'était pas montée jusqu'à la maison, n'en avait pas exprimé le désir. Elle avait conseillé à son père d'attendre Michel Arc et puis elle-même qui, dans la soirée, une fois la fraîcheur revenue, — elle n'avait pas fixé l'heure — reviendrait le chercher.

Il y a quelques jours, ils ont parlé ensemble de ce chemin et de la possibilité qu'ils ont de se l'approprier complètement jusqu'à l'étang, de le rendre privé aux autres, à ceux qui ne sont pas des amis de Valérie

Les amis de M. Andesmas n'existent plus. Une fois l'étang acheté, personne ne passera plus. Personne. Exception faite des amis de Valérie.

Elle avait chantonné dans la chaleur du chemin :

Quand le lilas fleurira mon amour

Il était maintenant assis dans ce fauteuil d'osier bancal qu'il avait trouvé dans une pièce de la maison. Dans la chaleur, vivement, comme si rien n'en était de la chaleur, elle avait chantonné :

Quand le lilas

Il avait péniblement atteint la plate-forme, en marchant comme elle le lui avait conseillé, prudemment, d'un pas égal. Elle eût chanté pareillement dans la fraîcheur d'un soir ou d'une nuit, dans d'autres régions, ailleurs. Où n'aurait-elle pas chanté?

fleurira pour toujours

En montant il l'avait encore entendue. Et puis le bruit du moteur de l'automobile avait massacré son chant. Il s'était affaibli, assourdi, puis, des bribes en étaient encore parvenues jusqu'à lui, et puis rien, plus rien. Une fois atteinte la plate-forme, plus rien ne s'entendait d'elle ni de son chant. Ç'avait été long. Long aussi d'installer ce corps dans ce fauteuil d'osier. Quand ç'avait été fait, non, vraiment rien, rien ne s'entendait plus de Valérie, ni de son chant, ni du bruit du moteur de l'automobile.

Autour de M. Andesmas la forêt se dresse immobile, autour de la maison aussi, sur toute la colline aussi. Il y a entre les arbres des fourrés épais où s'enlisent tous les bruits et même les chants de Valérie Andesmas, son enfant.

Oui, c'était bien cela. C'était le village qui se réveillait de sa sieste. D'un samedi à l'autre, se passait l'été. Des airs dansants montaient jusqu'à la plate-forme, emmêlés parfois. C'était le répit de fin de semaine des travailleurs. M. Andesmas ne travaillait plus jamais. D'autres avaient à se reposer de fabuleux travaux. D'autres seulement, désormais, désormais. M. Andesmas les attendait, attendait leur bon vouloir.

Le rectangle blanc de la place fut traversé par un groupe de gens. M. Andesmas ne voyait qu'une partie de ce rectangle. Il n'éprouva pas un désir assez vif de le voir tout entier pour en arriver à se lever et faire les dix pas qui le séparaient du ravin où il eût pu, de là, le voir, et voir, aussi, derrière la rangée de bancs verts, encore vides à cause de la chaleur, l'auto noire de Valérie.

Ce fut une danse.

Elle cessa.

Derrière M. Andesmas, au bord calme de cet étang entièrement recouvert de lentilles d'eau, à l'abri d'arbres énormes, des enfants jouaient-ils, à cette heure-ci, à prendre des grenouilles et à leur faire subir en toute innocence des tortures lentes et qui les font rire à gorge déployée? M. Andesmas pensait souvent à la jeunesse de cet étang, depuis le passage du chien qui devait y boire chaque jour, et depuis qu'il avait décidé de le rendre privé à tous les autres, excepté à Valérie, son enfant.

Une série de craquements très brefs, secs, l'environnèrent tout à coup. Du vent passa sur la forêt.

— Eh, déjà, prononça tout haut M. Andesmas. Déjà...

Il s'entendit parler, il sursauta et il se tut. Autour de lui, en de douces vagues successives, la forêt se pencha tout entière. C'était un spectacle rare désormais dans l'existence de M. Andesmas. Elle se pencha tout entière, mais différemment suivant la hauteur de ses arbres, leur inclinaison, leur charge plus ou moins lourde de branchages.

M. Andesmas ne fit pas encore le geste de regarder sa montre.

Le vent cessa. La forêt reprit sa pose silencieuse sur la montagne. Ce n'était pas le soir, mais seulement un vent de hasard, pas encore celui du soir. En bas, cependant, la place se peuplait davantage de minute en minute. Quelque chose s'y passait.

Je me dois de parler à Michel Arc, pensa clairement M. Andesmas. J'ai chaud. Mon front est couvert de sueur. Son retard doit maintenant dépasser une heure. Je n'aurais pas cru ça de lui. Faire attendre un vieillard.

C'était un petit bal, comme chaque samedi à cette saison.

L'air, repris par un pick-up, s'éleva de la Place centrale. Il emplit le vide. Celui que chantait Valérie depuis quelque temps, celui qu'il l'entendait chanter lorsqu'elle passait les couloirs de leur maison, les couloirs étant trop longs, disait-elle, et elle s'y ennuyant, les passant.

M. Andesmas écouta l'air, attentivement,

bien satisfait, et son attente de Michel Arc se fit moins pressante, moins pénible. Il connaissait toutes les paroles de la chanson par Valérie. Solitaire, et désormais impuissant à faire danser ce corps ruiné, désormais, il n'empêchait qu'il reconnaissait l'attrait de la danse, son irrésistible urgence, son existence parallèle à sa fin.

Parfois, les trouvant trop longs, s'impatientant, Valérie danse dans les longs couloirs de la maison, la plupart du temps même, se souvient M. Andesmas, exception faite des heures de sieste de son père, lui. Le martèlement des pieds nus de Valérie qui danse dans les couloirs, il l'écoute chaque fois, et chaque fois il croit que c'est son cœur qui s'affole et qui se meurt.

M. Andesmas se mit à attendre un homme sans parole, patiemment.

Il écoutait les airs dansants.

Il lui restait ceci de sa jeunesse envolée que parfois, il remuait les pieds dans ses souliers noirs, en cadence. Le sable de la plate-forme était sec et se prêtait bien au jeu des pieds.

— Une terrasse, avait dit Valérie. Michel Arc prétend que de la faire s'impose. Loin de toi. Mais je viendrai, chaque jour, chaque jour, chaque jour. Il est temps. Loin de toi.

Peut-être danse-t-elle sur la place? M. Andesmas ne sait pas. Elle avait désiré très fort cette maison, Valérie. M. Andesmas la lui avait achetée dès qu'elle en avait exprimé le désir. Valérie dit être raisonnable. Elle dit ne jamais rien demander qui ne lui soit pas nécessaire. L'étang encore, a-t-elle dit, et après, je ne te demanderai plus rien jamais.

C'est la première fois que M. Andesmas voit cette maison achetée par lui pour Valérie. Sans la voir, sur son simple désir, il la lui a achetée, à Valérie, sa fille, il y a de cela quelques semaines.

Dans un craquement de tout le fauteuil d'osier, M. Andesmas considéra les lieux choisis par Valérie. La maison était petite mais le terrain autour d'elle était plat. On pourrait très facilement l'agrandir sur trois de ses côtés lorsque Valérie en exprimerait le désir.

— Ma chambre, tu verras, donnera sur la terrasse. Le matin, c'est là que je prendrai mon petit déjeuner.

Valérie, en chemise de nuit, regardera donc, bientôt, dès son réveil, tout à son gré, la mer. Parfois celle-ci serait comme aujourd'hui elle était, calme.

Quand notre espoir sera là chaque jour
Quand notre espoir sera là pour toujours...

Toutes les vingt minutes, approximativement, l'air revient avec une force de plus en plus grande, ravageuse, accrue encore par sa répétition régulière. Alors la place danse, danse, danse, tout entière.

Parfois, la mer serait mousseuse et parfois, même, elle disparaîtrait dans la brume. Il arriverait aussi qu'elle soit violette, grosse, et que des tempêtes fassent que Valérie se retire de la terrasse, effrayée.

Et M. Andesmas craint pour son enfant Valérie, dont l'amour règne impitoyablement sur sa destinée finissante, qu'elle s'effraye des orages à venir lorsque au réveil, sur cette terrasse qui surplombe la mer, elle les découvrirait dans toute leur étendue.

Bien de la jeunesse devait être sur la place du village. Sur les rives de l'étang, désertées, même par ce chien courant, des fleurs n'étaient-elles pas dans un fleurissement intense qui, demain, déclinerait? Il faudra que Valérie aille à son étang et regarde ses fleurs. Un raccourci l'y mènerait, vite. On pouvait sans doute, à peu de frais, acheter cet étang. Valérie avait raison de le vouloir pour elle. Valérie, il semblait bien, riait encore de la nage des grenouilles à la surface des eaux des étangs, non? Valérie, il semblait bien, s'amusait encore à les tenir dans la main? riait encore de les épouvanter de la sorte? M. Andesmas ne savait plus très bien. Même si le temps de les supplicier était passé, ne s'en amusait-elle pas encore d'autre manière, de voir leur vivacité enfermée dans sa main et de leur épouvante? M. Andesmas ne sait plus du tout.

— Michel Arc, dit la jeune fille, vous fait dire qu'il va arriver bientôt.

M. Andesmas ne l'avait pas vue arriver. Peut-être s'était-il assoupi pendant son approche? Il la découvrit tout à coup, debout, sur la plate-forme, à la même distance que le chien orangé. S'il s'était assoupi, était-ce pendant cette approche ou depuis un peu plus longtemps?

— Merci, fit M. Andesmas, merci d'être venue.

La jeune fille, à cette distance respectueuse, examina le corps massif, enfermé dans le fauteuil d'osier, qu'elle voyait pour la première fois. Elle avait dû en entendre parler dans le village. Sous la tête très ancienne, souriante et nue, le corps était richement recouvert de très beaux habits sombres d'une méticuleuse propreté. On ne voyait qu'approximativement la forme immense, elle était très décemment recouverte de ces habits très beaux.

— Alors, il va venir? demanda aimablement M. Andesmas.

Elle fit signe qu'il viendrait, oui. Sa silhouette était si longue, déjà, que c'est seulement à l'inconvenance du regard posé sur lui que M. Andesmas devina qu'elle était encore une enfant.

Sous les cheveux noirs, les yeux paraissaient clairs. Le visage était petit, assez pâle. Le regard s'accoutuma peu à peu au spectacle de M. Andesmas. Il le quitta et parcourut les alentours de la maison. Connaissait-elle l'endroit? C'était probable. Elle avait dû y venir en compagnie d'autres enfants, et même jusqu'à l'étang — cet étang où bientôt elle ne viendrait plus, — elle avait dû venir. Là, sans doute, avant, les enfants de ce village-ci et ceux des agglomérations lointaines de derrière la colline devaient se rencontrer.

Elle attendait. M. Andesmas fit un effort, remua dans son fauteuil et prit dans la poche de son gilet une pièce de cent francs. Il la lui tendit. C'est à cela aussi qu'elle arriva vers lui et prit très simplement la pièce de cent francs qu'il fut confirmé dans cette impression qu'elle était encore une enfant.

— Monsieur, monsieur Andesmas, merci bien.

— Tiens, tu sais mon nom, dit doucement M. Andesmas.

— Michel Arc, c'est mon père.

M. Andesmas sourit à l'enfant en manière de salutation. Elle eut une petite grimace de politesse.

— Qu'est-ce que je lui dis de votre part? demanda-t-elle.

Pris au dépourvu, M. Andesmas chercha un peu ses mots, puis il les trouva.

— Il est encore tôt, après tout, mais s'il pouvait ne pas trop tarder, ce serait bien aimable de sa part.

Tous deux se sourirent encore, satisfaits de cette réponse, comme si c'eût été celle parfaite qu'avait attendue l'enfant et que M. Andesmas l'avait devinée à force de vouloir lui être agréable.

Au lieu de s'en aller, elle alla s'asseoir sur le bord de la terrasse future et elle regarda le gouffre.

La musique en montait toujours.

L'enfant l'écouta pendant quelques minutes et puis elle joua à prendre le bas de sa robe — bleue —, à l'étirer sur ses jambes repliées, à la relever encore, à l'étirer encore, plusieurs fois.

Et puis, elle bâilla.

Lorsqu'elle se retourna vers M. Andesmas, il remarqua un bref sursaut de tout son corps et que ses mains s'écartèrent et lâchèrent la pièce de cent francs.

Elle ne la ramassa pas.

— Je suis un peu fatiguée, déclara-t-elle. Mais je vais descendre dire à mon père ce que vous m'avez dit.

— Oh, j'ai le temps, j'ai le temps, repose-toi, la pria M. Andesmas.

Quand le lilas fleurira mon amour

Ils écoutèrent tous deux le refrain. Au deuxième couplet, l'enfant se mit à le chanter d'une voix grêle et incertaine, la tête toujours tournée vers le gouffre de lumière, dans l'oubli total de la présence du vieillard. Bien que la musique fût forte, M. Andesmas n'écouta que la voix enfantine. Il savait, à son âge, ne plus avoir de présence gênante, jamais, devant quiconque, surtout les enfants. Détournée de lui, elle chanta, ponctuant les temps de façon scolaire, la chanson entière.

Quand celle-ci fut terminée une rumeur la remplaça. Comme chaque fois qu'elle cessait, il y eut des cris d'hommes et ceux des jeunes filles s'y vautrèrent, heureux. On la réclama une deuxième fois, mais elle ne revint pas. Le silence, presque le silence, se fit curieusement sur la place, les rires et les cris cessèrent presque, à bout de course, lassés, débordés par leur propre flot. Alors l'enfant siffla l'air de la chanson. C'était un sifflement plus aigu, plus ralenti qu'il n'aurait dû. Elle ne devait pas être en âge de danser encore. Elle sifflait, avec une application forcée, mal. La forêt en est transpercée, et le cœur de l'auditeur, mais l'enfant ne s'entend pas. Valérie siffle dans les couloirs, en dehors des heures de sieste de son père, d'admirable façon. Où as-tu appris, ma petite Valérie, à siffler si bien? Elle ne sait pas le dire.

Quand elle fut à bout du refrain, l'enfant scruta la place du village, assez longuement, puis se retourna vers M. Andesmas, cette fois sans frayeur. Au contraire, elle eut un regard heureux. Alors, alors, peut-être appelait-elle un compliment qui n'arrivait pas? Peut-être n'avait-elle pas oublié au point où on aurait pu le croire la présence de ce vieillard? Pourquoi cette joie? Le regard heureux dura, immobilisé, puis tout à coup il déclina jusqu'à atteindre une gravité également immobile et injustifiée.

— Tu siffles bien, dit M. Andesmas. Où as-tu appris?

— Je ne sais pas.

Elle interrogea M. Andesmas du regard et demanda :

— Je vais y aller? je vais descendre?

— Oh, prends ton temps, protesta M. Andesmas, tout le temps que tu veux, repose-toi. Tu as perdu ta pièce de cent francs.

Peut-être fut-elle intriguée par tant de sollicitude. Elle ramassa la pièce, et recommença à examiner cette masse imposante qui paraissait se reposer profondément, tassée dans le fauteuil — à l'ombre du mur blanc de la maison. Souhaitait-elle trouver un signe quelconque d'impatience dans ces mains tremblantes, dans ce sourire?

M. Andesmas chercha à dire quelque

phrase qui l'eût distraite de ce spectacle, mais il ne la trouva pas, resta sans parole.

— Mais je ne suis pas tellement fatiguée, vous savez, dit l'enfant.

Elle détourna les yeux.

— Oh, tu as tout ton temps, dit M. Andesmas.

Dans le visage de M. Andesmas le sourire ne s'inscrivait plus naturellement. Sauf lorsque apparaît Valérie dans l'encadrement de la porte-fenêtre qui donne sur le parc et que dans un craquellement de toute la peau de son visage, affleure une joie bestiale, incontrôlable, M. Andesmas ne sourit plus que lorsqu'il croit se souvenir que les convenances s'y prêtent, et il ne sait plus le faire que laborieusement en un simulacre qui le fait cependant passer pour un vieillard d'humeur joyeuse.

— Tu as tout ton temps, je t'assure, répète-t-il.

L'enfant, levée, paraissait réfléchir.

— Alors je vais faire un tour, décida-t-elle, des fois que mon père arriverait, je redescendrais avec lui en auto.

— Il y a un étang, de ce côté-là, dit M. Andesmas tout en indiquant de son bras gauche la forêt future de Valérie.

Elle le savait.

Elle partit dans la direction du haut de la colline, celle par laquelle était arrivé le chien orangé. Elle partit gauchement sur ses jambes maigres à peine galbées, des pattes d'oiseau, sous le regard souriant et convenant du vieillard. Il la suivit des yeux jusqu'à ne plus rien en voir, rien, plus une seule des taches bleues de sa robe, et puis il se retrouva une nouvelle fois dans ce délaissement dont elle n'avait fait qu'accuser par son passage, si discret cependant, la déconcertante immensité.

Sa robe avait été très bleue sur la plate-forme ensoleillée. En fermant les yeux, M. Andesmas en retrouve le ton précis alors qu'il retrouve déjà mal celui, orangé, du chien qui l'a précédée.

Il regrette brutalement de l'avoir incitée à partir. Il la rappelle.

— Et qu'est-ce qu'il fait ton père? demande-t-il.

Alors qu'elle a été jusque-là d'une contenance dégoûtée, mais respectueuse, devant tant de vieillesse, elle devient insolente. Un cri arrive, perçant, exaspéré, de la forêt.

— Il danse.

L'attente de M. Andesmas recommença. Contradictoirement elle fut d'abord plus calme, moins impatientée qu'un moment avant.

Il regarde le gouffre de lumière. La mer à cette altitude est presque du même bleu, remarque-t-il, que le ciel. Il se lève pour se dégourdir les jambes et mieux voir la mer.

Il se lève, fait trois pas en direction du gouffre plein d'une lumière déjà jaunissante, et il aperçoit comme il l'avait prévu, le long des bancs verts de la place du village, à l'ombre des arbres, l'auto noire de Valérie stationnée.

Et puis il revient vers son fauteuil, s'y assied de nouveau, considère de nouveau sa masse, vêtue de sombre, enfoncée dans ce fauteuil, et c'est alors qu'il se prépare à attendre Michel Arc encore, et, de plus, le retour de l'enfant, retour attendu, prévu; c'est alors, pendant cet intermède, que M. Andesmas va connaître les affres de la mort.

Ayant repris sa place raisonnablement, prêt à admettre le retard de Michel Arc, réduit de son propre gré à une indulgence plénière pour tout manque à son égard, en même temps que lui revient le souvenir de Valérie pourtant si proche — son auto noire est là, sur le rectangle blanc de la place — M. Andesmas connaît les affres de la mort.

Fût-ce d'avoir vu la marche de l'enfant sur le chemin, la pose si fragile de ses pieds sur les aiguilles de pins? d'avoir imaginé sa solitude dans la forêt? sa course un peu apeurée vers cet étang? de se souvenir de sa docilité, de cette obéissance à la corvée que lui avait imposée son père d'aller prévenir ce vieillard dont la vue lui avait soulevé le cœur, obéissance qui avait enfin merveilleusement éclaté dans son insolence?

M. Andesmas croit être submergé par le désir qu'il éprouve d'aimer cette autre enfant et de ne plus trouver les moyens de faire que son sentiment suive ce désir.

Lorsqu'il raconta cet épisode de son interminable vieillesse, il prétendit que c'était à partir du départ de la petite fille vers le haut de cette colline déserte, de l'exaspérante délicatesse de sa démarche qui la portait vers cet étang où il savait que Valérie n'irait plus seule, qu'il éprouva ce jour-là ce désir. Il désira ce jour-là, une dernière fois, changer ses sentiments en faveur de cette enfant qui allait à l'étang avec une force aussi brutale, aussi impérieuse, dit-il, que celle qu'il avait mise, jadis, à désirer — de passion mortelle — une certaine femme.

Mais alors qu'il le désire tant, voici qu'il retrouve l'odeur des cheveux d'enfant de Valérie et que ses yeux se ferment de douleur devant cette impuissance, la dernière de sa vie. Mais — est-ce la forêt qui cache, dans sa profondeur, des fleurs qu'il n'a pas vues et qu'une brise lui amène? est-ce l'odeur persistante et qu'il n'a pas perçue, en sa présence, de cette autre enfant en allée? — voici que lui revient le souvenir de cette splendeur odorante des cheveux de son enfant, voici que lui revient, à l'avance, la mémoire infernale d'une blondeur qui, très vite, très vite, embaumera dans cette maison même le sommeil d'un homme encore inconnu.

Une lourdeur insinuante envahit peu à peu M. Andesmas, elle s'installe dans ses membres, dans son corps tout entier et gagne peu à peu son esprit. Ses mains deviennent de plomb sur les bras du fauteuil et sa tête devient à elle-même lointaine, se laisse aller à un découragement jusque-là inconnu d'elle, de se porter encore.

M. Andesmas essaie de se débattre et de se dire que cette attente si longue de Michel Arc, dans cette immobilité, par cette chaleur, il ne faut pas qu'il se le cache, est néfaste à sa santé. Mais rien n'y fait. La lourdeur insinuante le gagne toujours plus avant, plus profond, toujours plus décourageante, plus inconnue. M. Andesmas essaie de l'endiguer, d'en arrêter l'intrusion en lui, mais elle règne sur lui constamment davantage.

La voici instaurée sur sa vie tout entière, réfugiée là, pour le moment, rôdeuse endormie sur sa victoire.

M. Andesmas, tout ce temps qu'elle est là

et qu'elle dort, essaye d'aimer cette autre enfant qu'il ne peut plus aimer.

M. Andesmas essaie tout ce temps qu'elle est là et qu'elle dort d'affronter le souvenir de Valérie qui est là, en bas, sur le rectangle blanc de la place et qui l'a oublié.

— Je vais mourir, prononça tout haut M. Andesmas.

Mais cette fois il ne sursaute pas. Il entend sa voix de la même façon qu'il l'a entendue dire que le vent se levait, un moment avant, mais elle ne l'étonne pas du moment qu'elle est d'un homme qu'il ne reconnaît pas, impuissant à aimer cette enfant de l'étang.

Il reste là encore à ne pas aimer cette enfant qu'il aimerait s'il le pouvait, et il se meurt de ne pas le pouvoir, d'une mort factice qui ne le tue pas. Un autre l'aime, à la folie, qui n'est pas lui mais qu'il pourrait être et qu'il ne sera pas.

Il attend que passe cette surprise si intense de s'apercevoir qu'il ne meurt pas de croire à ce point qu'il meurt. Comblé de cet impossible désir de changer ses sentiments, d'aimer autrement, il regarde les arbres de toutes ses forces, s'implorant lui-même de les trouver beaux. Mais ils ne lui sont d'aucun secours. Il imagine cette autre enfant si ravissante qui regarde, sans les voir au bord de l'étang, les poussées imperceptibles des herbes qui se frayent une issue jusqu'au jour, mais celle-ci ne lui est d'aucun secours. Sa préférence pour Valérie, son enfant, reste toujours illuminante et inexprimable. C'est fait.

— Cet homme, comme il est malhonnête, continue-t-il.

En vain. Ah, comme il cherche à rejoindre cette longue attente où depuis longtemps il s'est relégué et qu'il peut si commodément nommer son désespoir! Ah! que la blondeur de Valérie coure le monde, que le monde entier se ternisse, si bon lui semble, devant tant de blondeur, pourquoi cela se penserait-il? pense M. Andesmas. En même temps qu'il sait que cela ne peut se penser. Et, si cela était pensable, pourquoi cela se penserait-il avec cette douleur écrasante et non dans la douceur? continue à penser M. Andesmas alors qu'il sait qu'il ment, que cela ne peut être tenté d'être pensé que dans une extrême douleur.

Cette douleur dura, prétendit M. Andesmas, jeune, odieusement jeune. Combien de temps? il ne sut jamais le dire. Mais assez longtemps pour qu'il en devînt, en fin de compte, la proie consentante. Et sa raison, jamais dangereuse au cours de sa vie et toujours louée au contraire comme la meilleure qui puisse être, s'accommoda, elle aussi, de ce dérangement de son cours habituel.

M. Andesmas consentit à ne plus connaître d'autre aventure que celle de l'amour de Valérie.

— Pourquoi attendre Michel Arc qui d'ailleurs ne viendra pas ce soir?

Il avait parlé tout haut encore. Décidément, il parlait haut. Et il lui parut que sa voix était interrogative. Il se répondit sans effroi parce que relativement à la découverte de la blondeur universelle de Valérie quel effroi, en effet, pouvait être comparé qu'il puisse ressentir?

— Qui le ferait en effet? se répondit-il. Qui, à ma place, ne se mettrait pas en colère?

Il osa un regard vers la gauche, vers le chemin par lequel devait bientôt arriver cette autre enfant trahie, et il resta ainsi, assis droit dans son fauteuil d'osier tandis que cette enfant ne revenait pas de l'étang et que l'après-midi atteignait sa pleine mesure d'un ensoleillement jaune et doux.

Ce fut dans cette pose que M. Andesmas s'endormit.

M. Andesmas prétendit plus tard avoir été la victime, cet après-midi-là, d'une découverte — pénétrante et vide, dit-il — qu'il n'avait pas eu le loisir de faire au cours de sa vie, qui, en raison de son âge sans doute, le fatigua plus qu'elle n'aurait dû, mais dont il affirma qu'il ne la croyait pas moins très commune. Par commodité et peut-être aussi en raison de la défaillance de son vocabulaire, il la nomma celle de l'intelligence de l'amour de son enfant.

Son discours continua dont Michel Arc fit les frais mais il ne sut jamais très exactement quel il était. Des termes vigoureux et violents dans le temps qui suivit son assagissement furent prononcés sur la plate-forme. Il les entendit.

A peine entrevues les délices de ce festin funèbre où il eût dévoré ses propres entrailles, dans une peur qui dépassait outrageusement ses forces désormais, et en raison de celle-ci, sans doute, M. Andesmas s'en prit à l'incurie de Michel Arc à son égard.

Après quoi il tomba dans la somnolence face à la jaune et douce lumière du gouffre.

En certains points de la plaine, au-dessus des cultures arrosées, déjà, il y a de fines vapeurs que dissipe de plus en plus difficilement cette jaune et douce lumière du gouffre.

Monotone sans doute, mais d'une rare perfection était ce jour de juin.

Combien de temps dura ce répit de M. Andesmas? Il ne sut jamais le dire non plus. Il dit qu'il rêva, le temps qu'il dura, à des satisfactions dérisoires qui se rapportèrent à ses conversations précédentes avec Michel Arc sur le devis de la terrasse future de Valérie, face à la mer de toutes les saisons.

En fait, ce répit dura peu, juste le temps de

laisser à la petite fille celui de s'amuser de l'étang et d'en revenir. Elle revenait en effet de la hauteur de la colline.

M. Andesmas se souvint jusqu'au dernier moment de sa vie de l'approche de cette autre enfant.

Dans la forêt, d'abord au loin, puis, de plus en plus près, la terre fut frappée par le martèlement d'un pas. Mais ce pas si léger sur les feuilles sèches du chemin n'eut pas raison du sommeil de M. Andesmas. Il l'entendit. Il reconnut une approche humaine qu'il situa sur le flanc sud de la colline; il se dit même que l'enfant revenait de l'étang mais il crut qu'elle était loin encore de la plate-forme et qu'il avait le temps de dormir encore, et au contraire de se préparer à l'accueillir, il se rendormit, et si profondément qu'il ne l'entendit bientôt plus du tout, même lorsqu'elle fut à quelques mètres de lui.

L'enfant revint. M. Andesmas, plongé dans ce sommeil bienfaisant, avait encore, sans doute, la tête penchée dans la direction du chemin par où elle devait revenir de l'étang.

Le regarda-t-elle en silence pendant un

43

instant? Il ne le sut pas. Ni combien de temps avait duré sa promenade. Et ce sommeil.

— Eh, Monsieur, dit l'enfant tout bas.

Elle frappa doucement du pied le sable de la plate-forme.

Lorsqu'il ouvrit les yeux, M. Andesmas retrouva sur lui l'inconvenance immaculée d'un regard déjà vu. Elle s'était approchée très près de lui, contrairement à la première fois, et il vit mieux les yeux clairs dans la lumière. Il s'aperçut qu'il l'avait oubliée.

— Ah, ah, je m'endors tout le temps, partout, partout, s'excusa M. Andesmas.

La petite fille ne répondit pas. Elle le scruta tout entier avec une curiosité insensée, insatiable. Cette fois, M. Andesmas chercha son regard. Il ne le trouva pas.

— Michel Arc n'est pas venu, tu vois, continua M. Andesmas.

La petite fille fronça les sourcils et parut réfléchir. Son regard quitta M. Andesmas et chercha derrière lui, sur le mur blanc, à apercevoir quelque chose, à découvrir quelque chose qu'il souhaitait voir et qu'il ne vit pas. Alors, son visage exprima tout à coup une brutalité bouleversante, il se révulsa dans l'effort d'un regard inexistant. Elle regardait un songe et elle souffrait. Ce songe qu'elle regardait ne se voyait pas.

— Assieds-toi, repose-toi, dit doucement M. Andesmas.

Le visage s'adoucit un peu. Mais le regard ne reconnut pas le vieillard lorsqu'il se reposa sur lui. Pourtant elle lui obéit. Elle s'assit à ses pieds et posa sa tête contre le pied du fauteuil.

M. Andesmas ne bougea pas.

Il compta ses respirations, s'efforça de les faire plus profondes afin de les accorder au calme de la forêt et à celui qui s'était emparé de l'enfant.

Très lentement, elle leva vers M. Andesmas une main étroite et longue, salie, ouverte sur la pièce de cent francs. Elle parla sans tourner la tête.

— Dans le chemin j'ai trouvé ça, dit-elle.

— Ah, c'est bien, c'est bien, murmura M. Andesmas.

L'avait-il bien vue tout à l'heure? Son oubli devait être passager, l'écraser pendant de courts instants et puis la quitter.

Elle se taisait, la tête contre le pied du fauteuil, dans l'ombre du mur.

Fermait-elle les yeux? M. Andesmas ne voyait pas son visage mais seulement ses mains entrouvertes et immobiles. Dans la main droite il y avait la pièce de cent francs. M. Andesmas s'étouffait à force de calme.

Quand le lilas fleurira mon amour
Quand le lilas fleurira pour toujours

Elle ne bougea pas, tant que dura le chant. Quand il se termina elle dressa la tête et écouta les rires et les cris qui montaient de la place du village. Les rires et les cris cessèrent mais elle resta ainsi, la tête dressée. C'est alors que M. Andesmas remua dans son fauteuil.

L'enfant se mit à rire :

— Votre fauteuil, il va se casser, dit-elle.

Elle se relève et il reconnaît une enfant déjà vue.

— Je suis gros, dit-il. Ce fauteuil n'a pas été fait pour moi.

Il rit lui aussi. Mais elle, elle redevient vite sérieuse.

— Mon père n'est pas encore venu? demanda-t-elle.

— Il va venir, dit précipitamment M. Andesmas. Il va venir, tu peux l'attendre si tu veux.

Elle reste là, à chercher, mais raisonnablement, ce qu'elle préfère faire de son temps, orpheline tout à coup de ce père qui l'a oubliée. Son regard reste sauvage, orphelin, lui, de cet égarement qui tout à l'heure l'a emportée alors qu'elle traversait la forêt. Elle lève les mains vers son visage, les croise sur sa bouche, et se frotte les yeux comme au réveil elle doit le faire.

A quel jeu s'était-elle amusée près de l'étang? C'était de boue séchée qu'étaient salies ses mains. Elle avait dû lâcher la pièce de cent francs après l'avoir tendue à M. Andesmas. Ses mains retombèrent, en effet, vides, le long de sa robe.

— Je m'en vais, dit-elle.

Alors M. Andesmas se souvient tout à coup que Valérie lui a dit :

— La fille aînée de Michel Arc n'est pas comme les autres. Michel Arc croit que sa fille n'est pas comme les autres. Ça n'est pas si grave, dit-on. Par instants, elle oublie tout. Pauvre Michel Arc, dont la fille n'est pas comme les autres.

Elle ne paraissait pas pressée de s'en aller du moment qu'elle avait décidé de le faire. Peut-être se sentait-elle en confiance près de ce vieillard? Ou, dans l'indifférence égale d'être là plutôt qu'ailleurs, préférait-elle attendre d'avoir une idée meilleure que celle qu'elle avait eue, de rentrer?

— Je vais dire à mon père que vous l'attendez encore longtemps?

Elle sourit. Son visage se reconnut tout à fait. Une ruse filtra dans son sourire tandis qu'elle attendait la réponse de M. Andesmas, et M. Andesmas, les joues en feu, la cria joyeusement.

— C'est-à-dire, aussi longtemps qu'il y aura de la lumière, j'attendrai Michel Arc!

Entend-elle la réponse? Oui. Elle l'entend. Alors qu'elle s'en va, elle voit dans le sable gris de la plate-forme la pièce de cent francs.

Elle la regarde, se penche, et une nouvelle fois elle la prend, et la montre à M. Andesmas. Son regard est présent.

— Regardez, dit-elle. Des gens qui l'auront perdue?

Elle rit encore.

— Oui, affirma M. Andesmas. Garde-la.

La main, prête à se refermer, le fait dans un déclic.

Elle redevient songeuse, distraite. Elle se dirige vers M. Andesmas et lui tend la main gauche, celle qui ne tient pas la pièce de cent francs.

— Après j'aurai peur, dit-elle. Je vous dis au revoir, Monsieur.

La main était chaude, rêche de la boue de l'étang. M. Andesmas essaya de la retenir dans la sienne mais elle s'esquiva, inquiète, elle avait la flexibilité, la mollesse d'une herbe arrachée, même dans les mouvements qu'elle provoquait. Elle tendit la main à regret, elle le fit comme une très petite enfant, dans une horreur apprise et consentie.

— Peut-être ne viendra-t-il qu'à la nuit, Michel Arc?

Elle montra le gouffre où se passait le bal.

— Ecoutez, dit-elle.

Elle resta ainsi, suspendue dans ce geste, incompréhensiblement. Puis, le geste se rompit sans raison, ou fût-ce que la danse cessa?

— Qu'est-ce que tu as fait à l'étang? demanda M. Andesmas.

— Rien, dit-elle.

Elle partit, sans se tromper, par le chemin qu'avait pris le chien orangé, sagement, lentement. M. Andesmas fit un geste comme pour l'arrêter mais elle n'en vit rien. Alors il se redressa, chercha comment la retenir, comment le dire, et, trop tard, il cria :

— Si tu vois Valérie...

Elle répondit quelque chose alors qu'elle avait déjà disparu derrière le tournant du chemin mais elle ne revint pas.

M. Andesmas entend siffler.

Il retombe dans son fauteuil. Il cherche à démêler du silence de la forêt les mots qu'a prononcés l'enfant mais il n'y arrive pas. A-t-elle dit qu'elle ne connaissait pas Valérie?

Ou que Valérie savait bien que son père l'attendait? Ou autre chose qui n'avait nullement trait à la question posée?

L'écho de la voix enfantine flotte longtemps, insoluble, autour de M. Andesmas, puis aucun des sens éventuels qu'il aurait pu avoir n'étant retenu, il s'éloigne, s'efface, rejoint les miroitements divers, des milliers, suspendus dans le gouffre de lumière, devient l'un d'eux. Il disparaît.

M. Andesmas se retrouve seul. Seul à attendre un homme sans horaire. Dans la forêt.

Un jour il faudra abattre bien des arbres de cette forêt, arracher des buissons, dévaster une partie de cette épaisseur informe, afin que l'air s'y engouffre, libre, par des clairières immenses, et dérange enfin cet entremêlement monumental.

De la place du village, le temps est si clair, on peut l'apercevoir, si on le désire. Sa silhouette est posée sur l'emplacement de la terrasse future de sa fille Valérie. Tout le monde est au courant de cette prochaine construction. On sait qu'il attend Michel Arc.

Il est vêtu comme à l'accoutumée d'un cos-
tume sombre. Oui, on peut l'apercevoir,
distinguer cette tache sombre de son corps
entassé dans le fauteuil d'osier qui se détache
sur le mur blanc de chaux de la maison qu'il
vient d'acquérir pour sa fille Valérie. Cette
tache s'assombrit et grandit de minute en
minute à mesure que l'heure passe, et sa
présence sur la plate-forme nue et ensoleillée
est de plus en plus indéniable. C'est si sableux
de ce côté-ci de la montagne ; oui, Valérie doit
pouvoir le voir, ce père, si elle désire le voir,
dans son attente de Michel Arc. D'autres
aussi le peuvent. Il est là, offert aux regards,
et chacun sait qu'il ne peut s'agir que de lui,
M. Andesmas. L'achat de cette colline a fait
du bruit dans le village. La propriété achetée
au nom de Valérie Andesmas par son père
couvre quarante-cinq hectares de forêts.
Ils habitent tous deux dans ce village-ci,
au cœur de ce gouffre, depuis un an, depuis,
dit-on, qu'il a décidé de se retirer des affaires
qui l'occupaient, ayant de quoi le faire et
plus encore. Avec cette enfant. Sur son seul
désir, voici quelques semaines, il lui a acheté

ce flanc-ci de la colline qui va jusqu'aux rives de l'étang. Il va acheter l'étang.

— Ah! ce M. Arc, ah, cet homme, prononce M. Andesmas.

Sa voix lui est devenue familière.

Péniblement, il se relève à moitié, traîne son fauteuil un peu plus en avant, plus près du rebord de la plate-forme afin d'être plus visible d'en bas. Mais il ne regarde pas le vide. On danse encore si on en croit les chants. Il regarde plutôt son corps étalé sur le fauteuil — plus étalé que pendant la présence de la petite fille — vêtu de ce beau tissu sombre. Son ventre repose sur ses genoux, il est enfermé dans un gilet de ce même tissu sombre qui a été choisi par Valérie son enfant parce qu'il est de bonne qualité, neutre, et que les hommes de taille massive s'y trouvent plus confortablement et plus sûrement cachés.

Oisif, et seul, M. Andesmas regardait ce qu'il était définitivement devenu, avec ennui. Du chemin, toujours, rien ne venait. De l'endroit où il était maintenant, il aurait pu revoir, s'il l'avait désiré, l'auto noire de Valérie, stationnée.

Mais, raconta-t-il, il ne put pendant un moment ni regarder cette auto noire de Valérie, ni penser à l'enfant. Ces souvenirs l'entouraient, enchaînés l'un à l'autre, dans une coexistence qui fut pendant un long moment égale à ses yeux. Il savait qu'il ne pourrait envisager ni la blondeur de Valérie ni la folie de l'autre enfant trahie sans s'épouvanter pareillement. Même les arbres, M. Andesmas ne les regardait pas, qui participaient eux aussi si innocemment de ce même sort inconcevable d'exister cet après-midi-là.

M. Andesmas se regardait lui-même. Et dans son propre spectacle il trouva du réconfort. Celui-ci l'emplissait d'un dégoût irréversible et sûr. Il équivalait ce soir à la seule certitude qu'il ait jamais eue au cours de sa vie.

C'est du vent qui arrive. Ce n'est jamais Michel Arc.

Le temps passe et M. Andesmas se réhabitue à l'attente.

Il en arrive même à caresser le secret espoir que l'enfant n'est pas repartie vers le village, qu'elle flâne encore dans les environs de la plate-forme; il se réhabitue à l'idée de sa présence, là, dans les parages, et même il la souhaite et son attente de voir réapparaître l'enfant l'emporte sur celle de Michel Arc et de Valérie.

Dans le sable, devant lui une pièce de cent francs, tombée de ses mains, brille. Elle l'a encore lâchée, encore et encore.

— Elle ouvre les mains, et lâche les choses, elle ne sait rien garder. Pourtant elle a une certaine mémoire. On ne peut pas dire.

M. Andesmas fait un certain effort pour ramasser la pièce de cent francs, puis il y renonce. Et au contraire de la prendre, du pied il la repousse le plus loin possible de sa vue. Mais elle n'atteint pas les petits fourrés qui bordent la plate-forme, comme il aurait voulu, elle fait un mètre dans le sable mou et elle reste là, à moitié enfouie.

Non, elle ne reviendra pas aujourd'hui. Elle doit être arrivée au village maintenant. Elle est descendue sans grand-peine, en sifflant parfois, en regardant de gauche et de droite, les arbres et le sol, — ses jambes si frêles et si adroites la portent selon son désir — glanant des choses, des cailloux, ou des feuilles qui pour elle, elle seulement, ont pendant un instant un intérêt obscur qui la captive. Puis elle ouvre les mains, lâche toute possession.

— Pourtant, parfois, elle se souvient d'avoir oublié.

A-t-elle eu peur pendant son parcours? A-t-elle couru une ou deux fois? S'est-elle trompée de chemin?

— Non, les chemins, elle les connaît mieux que ses frères et sœurs qui ont toute leur raison. Pourquoi, allez-y voir?

A quel moment s'est-elle souvenue de l'oubli de la pièce de cent francs? si elle s'en est souvenue? Alors, ah, elle aura dû s'arrêter sur le chemin, se retrouver seule dans ce chemin désert, et dans un regret poignant se demander si elle ne va pas retourner auprès du vieillard. Mais elle y renonce dans l'obscure prescience de sa folie, elle ne fait pas ce geste enfantin, déraisonnable et, au contraire, elle continue à avancer vers le village.

M. Andesmas fit un effort, il lança du sable sur la pièce de cent francs dont il ne désirait plus rien voir. Il ne la vit plus. Il soupira profondément comme il faisait après chaque effort.

Il retrouve un peu de calme. S'il redescend assez tôt ce soir, il a une chance de revoir cette enfant sur la place du village.

M. Andesmas avait oublié que Valérie lui parle souvent de la fille de Michel Arc.

Mais jamais il ne va sur la place du village. Alors?

Il soupire, puis se rassure. Il saura comment retrouver l'enfant. Il demandera à Valérie le moyen de la retrouver. Il lui rendra son trésor. L'attente de Michel Arc est reléguée derrière cette autre attente, celle de rendre à l'enfant ce trésor qu'elle a peut-être oublié.

Quelle conséquence inattendue, pense M. Andesmas; quelle responsabilité nouvelle et dernière de son importance! Se souviendrait-elle de lui? Oui. Elle l'avait tant regardé tout à l'heure que s'il faisait preuve avec elle de beaucoup d'amabilité elle ferait un effort pour se souvenir. Ce monsieur riche, oisif, et si vieux dont la fille est Valérie, tu sais bien? Oui. Elle l'avait appelé par son nom en arrivant sur la plate-forme.

— Elle ne comprend pas ce que les autres comprennent, et pourtant elle sait et retient diverses choses. A son gré, on dirait bien.

Des cris de plaisir montèrent de la vallée. Et puis une danse les recouvrit. Ce fut une valse chantée. Ah, qu'ils dansent, qu'ils dansent, autant qu'ils le désirent, qu'ils ne se croient pas tenus, tandis qu'ils dansent, à souffrir de ne plus danser bientôt en raison d'une obligation envers moi.

Est-ce une fois arrivée sur la place, croyant toujours être en possession de ces cent francs, partagée entre le désir d'un paquet de bonbons et l'obligation de faire part à son père que M. Andesmas l'attendrait jusqu'au crépuscule, que cette enfant s'aperçoit qu'elle a perdu ce trésor? que la mémoire de son oubli lui revient?

Elle se fraye un passage vers la place, elle est si docile, si docile, puis à travers les danseurs. Voici son père qui danse si bien. Se retient-elle de pleurer de chagrin?

— M. Andesmas a dit qu'il t'attendrait tant qu'il y aura de la lumière.

— C'est vrai, mon Dieu, c'est vrai! crie
Valérie.

N'est-ce pas plutôt dans sa ronde autour
de la place, en quête d'un paquet de bonbons, qu'elle s'aperçoit qu'une fois de plus
elle a dû perdre la pièce de cent francs
qu'elle a trouvée près du vieillard?

Pleure-t-elle, dans un coin, d'être oublieuse
à ce point?

Il le saura ce soir. Ce soir. Il le veut.

— C'est vrai, mon Dieu! crie Valérie.
Mais qu'il est tard.

Non, l'enfant n'a pas dû oublier la commission ordonnée par son père. Elle a dû chercher la pièce de cent francs dans la poussière
de la place. Les gens la regardent avec pitié.
Elle pleure?

Puis, à travers les danseurs, elle est allée
jusqu'à Michel Arc. La commission est faite.

— Il n'a rien de mieux à faire après tout,
dit Michel Arc.

— Mais il ne connaît rien de cette forêt.
Attendre est pénible.

Non. L'enfant ne s'est pas souvenue de la commission. L'oubli de la pièce de cent francs, la terrasse. Elle pleure, seule. Son père danse dans une joie aveugle. Elle pleure, où? Qui la voit pleurer, qui?

L'attente de M. Andesmas finit une fois de plus par redevenir tranquille. Le soleil était encore haut. Du moment qu'il l'avait dit, il attendrait jusqu'au soir. Il sait que la petite fille a oublié le vieillard.

Comment faire autrement qu'attendre? Attendre l'auto de Valérie. Il rigole. Il est enfermé dans la forêt par Valérie — son enfant.

A force d'être sur cette plate-forme il finissait par avoir bien précisément en tête les indications qu'il donnerait à Michel Arc, sur la forme de la terrasse, sur ses dimensions. L'entrevue serait courte. Il dirait en quelques mots à Michel Arc ce qu'il croyait qu'il fallait faire, jusqu'où devaient aller les balustrades sur la plate-forme.

La terrasse sera en demi-cercle, sans aucun

angle, elle arrivera à deux mètres du gouffre de lumière.

Quand elle sort du sommeil, Valérie, elle est si décoiffée que ses cheveux blonds lui tombent sur les yeux. Ce sera à travers les ramures de ses cheveux blonds qu'elle découvrira, de sa terrasse, à son réveil, la mer, cette enfant de M. Andesmas.

Le soleil avait-il tourné? Sans doute, remarqua M. Andesmas. Un hêtre à quelques mètres de lui, le balaie de son ombre d'une noble grandeur, d'une imposante grandeur. Cette ombre commence à se mêler à celle du mur blanc de chaux.

Quand le lilas fleurira mon amour
Quand notre espoir sera là chaque jour.

La chanson fut chantée par une voix très jeune et ralentie. Elle dura longtemps. A deux reprises elle fut jouée.

Après qu'elle eut cessé, la joie fut moins violente Quelques rires et elle s'éteignit.

M. Andesmas s'endormit-il encore, après la chanson?

CHAPITRE II

Sans doute oui s'endormit-il. L'ombre du hêtre recouvrait maintenant l'emplacement tout entier de la terrasse future. M. Andesmas se retrouva dans sa protection sans se souvenir du tout avoir remarqué un seul de ses progrès.

Oui, il avait dû s'endormir encore, encore une fois.

Désormais, de la place du village, on ne voit plus rien de lui. L'ombre du hêtre est plus dense que celle du mur, elle est très vaste et il est en son milieu. C'est d'ailleurs vainement qu'il s'est approché du précipice un moment avant. Jamais plus, désormais, jamais plus.

La preuve qu'il a dormi c'est qu'il arrive

à distinguer ce sommeil-ci de l'autre, de celui qui l'a précédé, à désempêtrer ses rêves-ci — admirables et torturants — des autres, dérisoires qui les ont précédés, et enfin à se souvenir que les yeux fous de la petite fille il les a découverts dans un soleil éclatant, ainsi que l'imagination qu'il avait eue de la façon dont elle avait dû se salir les mains sur les berges boueuses de l'étang.

Sans un souffle l'ombre continuait à s'étendre toujours à son insu cependant qu'il s'étonnait de s'être laissé aller encore une fois au sommeil.

— Sans doute, dit M. Andesmas, va-t-il me falloir plusieurs jours pour me remettre des fatigues d'une telle attente.

Ces phrases, prononcées à voix haute dans la solennité de sa solitude, aggravaient le cas de Michel Arc à son égard. Ainsi, M. Andesmas, afin de se faciliter cette épreuve, essayait-il de se mentir sur la durée et sur les conséquences du retard de Michel Arc.

Ainsi attend-il, prétendant qu'il ne peut pas arriver à comprendre l'incorrection de Michel Arc à son égard.

Une nouvelle fois, il prononce, d'une voix douce et polie, ce mensonge fait à lui-même.

— Je ne comprends pas. Ce n'est pas bien de la part de M. Arc, ce n'est pas bien de faire attendre un vieillard, des heures, comme il le fait.

Il se tait, un peu confus. Il baisse les yeux, puis les relève lentement tout en examinant avec effarement l'emplacement de la terrasse future.

— Comment peut-il se permettre une chose pareille?

Un jour ou l'autre, en robe riche de couleur claire, Valérie, sur cette terrasse, guetterait ce chemin, à cette heure-ci du soir. Sous ce hêtre qui perpétuerait les bienfaits de son ombre à quiconque serait là à cette heure-ci, dans l'avenir, en cette saison exacte, Valérie attendrait la venue de quelqu'un. Ce devait être ici, en effet, qu'elle ne tarderait pas à se situer cette attente-là de Valérie.

M. Andesmas s'en fait la réflexion avec calme. Il recule encore sur la plate-forme jusqu'à ne plus rien voir du village.

Sur la place, dont il ne voit plus rien, les danses cessent.

Personne n'arrive encore.

Mais M. Andesmas qui avait prétendu supporter mal d'attendre de la sorte, si longtemps, se fait de mieux en mieux à l'attente. Avec la fraîcheur de l'après-midi finissant, ses forces lui reviennent. Et tant et si bien qu'il donne des coups de pied dans le sable blanc de la plate-forme, croyant ainsi exprimer sa fureur. Il sourit, de se salir les souliers et de sa force désormais ridicule. Mais ainsi le temps passe pour lui, comme n'importe quel autre, comme celui qui passe pendant d'autres après-midi lorsqu'il attend dans son parc l'heure des repas du soir.

Du vent arriva. Le hêtre frémit. Et dans son bruissement l'arrivée d'une femme eut lieu, qui échappa à M. Andesmas.

Elle se trouva devant lui et lui parla.

— Monsieur Andesmas, commença-t-elle.

Depuis combien de temps le regardait-elle, elle aussi, jouer de cette façon avec ses pieds, dans le sable? Très peu de temps sans

66

doute. Celui qu'il lui avait fallu pour sortir du chemin et arriver devant lui.

M. Andesmas se leva légèrement de son fauteuil et se courba en avant.

— Monsieur Andesmas, je suis la femme de Michel Arc, dit-elle.

Elle avait des cheveux noirs, assez longs, et plats, qui lui tombaient un peu plus bas que les épaules, des yeux clairs que M. Andesmas reconnut comme étant ceux de la petite fille, très grands, plus grands peut-être que ceux de la petite fille. Elle aussi était en espadrilles et en robe d'été. Elle paraissait plus grande qu'elle ne devait être, à cause de sa minceur.

Elle se tenait face à M. Andesmas.

— Cet entrepreneur que vous attendez, répéta-t-elle encore une fois, je suis sa femme.

— Je comprends bien, dit M. Andesmas.

Elle s'assit sur le bord de la plate-forme, très droite, la tête tournée vers le fauteuil.

Elle paraissait naturellement réservée, ni triste ni abattue, mais cette raideur de son corps et l'intensité inexpressive — atteinte à la perfection — de son regard sur le vieillard procédaient d'une volonté de censure qui pour d'autres que M. Andesmas eût pu tromper. Sauf lorsque les yeux harassés de ne regarder rien se fermèrent quelques secondes, on eût pu les croire ainsi faits, hébétés. Mais lorsque les yeux se fermèrent, elle fut si différemment belle, elle le fut tant — c'est alors que les yeux dans la nuit de leurs paupières reprirent vie — que M. Andesmas comprit que la femme de Michel Arc n'était pas celle-ci, qui se tenait devant lui, qu'elle avait dû être autre et qu'il craignit de ne la connaître jamais.

La connaîtrait-il jamais celle qui avait été la femme de Michel Arc?

— Vous sortez peu, dit-elle, je ne vous connaissais pas.

Elle désigna la colline.

— C'est haut ici. Je me repose un peu.

Avec difficulté, M. Andesmas se releva de son fauteuil et s'en écarta.

— Je vous en prie, dit-il.

La femme examina le fauteuil vide, hésita un peu, puis elle refusa.

— Je vous remercie, mais je suis bien, là.

M. Andesmas n'insista pas. Il se rencogna lourdement dans son fauteuil. La femme resta là où elle était, assise sur le bord de la plate-forme, la tête tournée cette fois vers le gouffre. Elle se trouvait hors de la portée de l'ombre du hêtre, encore dans le soleil, comme son enfant. Comme son enfant, aussi, elle se taisait. Alors que vraisemblablement elle devait être venue porter un message à M. Andesmas de la part de son mari, elle ne disait rien. Mais au fond, comment savoir si elle n'était pas venue seulement pour se taire là, auprès de ce vieillard plutôt qu'ailleurs? Si elle n'avait choisi cet endroit, ce témoin?

M. Andesmas, dans l'affolement d'avoir à rompre encore tant de silence, cherchait des mots. Ses mains, crispées sur les bras du fauteuil, en faisaient bouger l'osier en de petits crépitements continus qu'elle n'entendait pas, toujours tournée vers le gouffre de lumière.

La place, on ne la voit plus de là où s'est reculé pour toujours M. Andesmas. A part

quelques rumeurs non identifiables qui viennent du village mais qui pourraient venir
de n'importe quel autre village, la vallée
maintenant est calme.

M. Andesmas, dans un effort poli, se
dégage légèrement de son fauteuil, réussit
enfin à s'adresser à la femme.

— M. Arc va-t-il venir ce soir?

Elle se retourna vivement. Il était certain
qu'elle avait trouvé superflu de dire la raison
de sa venue.

— Bien sûr, c'est pourquoi je suis venue,
dit-elle, pour vous le dire. Oui, il va venir
ce soir.

— Ah, vous vous êtes dérangée, dit
M. Andesmas.

— Mais non, pensez-vous, dit-elle. Ce n'est
pas si loin. Et il le fallait bien.

Le chant recommence à monter du gouffre
de lumière.

C'est toujours un pick-up. Le chant est
d'intensité variable. Il baisse et devient
lointain. La femme l'écoute attentivement
qu'il soit lointain ou proche. Mais l'écoute-
t-elle?

M. Andesmas n'aperçoit d'elle que la nappe noire et soyeuse de ses cheveux étalée sur ses épaules et ses bras nus qui, rassemblés par ses mains jointes, enlacent ses genoux. Non, elle doit regarder seulement, ne pas écouter. M. Andesmas croit deviner qu'elle surveille ce côté de la place du village, celui des arbres et des bancs, celui qu'il a vu après le départ de l'enfant vers l'étang.

— On recommence à danser? demande-t-il.

— Non, non, c'est fini, dit-elle.

M. Andesmas s'apaisa un peu. Son ton avait été égal, plat, lorsqu'elle lui avait répondu.

Un événement était en cours, il le savait bien, M. Andesmas — qu'il nomma leur rencontre, bien plus tard. Cet événement prenait très durement racine dans l'aride durée présente, mais il fallait néanmoins que ce fût fait, que ce temps-là aussi passât. La surprise de M. Andesmas passait à peine, elle, certes, mais elle passait quand même, elle vieillissait quand même. M. Andesmas prétendit le savoir à ceci que, peu à peu, les petits craquements de son fauteuil d'osier s'espacèrent et qu'il n'entendit plus bientôt autour de son corps que ceux rassurants, rythmés sur sa respiration difficile.

Mais voici qu'une chose se produit qui le déroute tout d'abord, puis l'effraye. Une espadrille tombe du pied de la femme, de son pied levé. Ce pied est nu, petit et blanc à côté de la jambe brunie par le soleil. Comme la femme se tient toujours hors de l'ombre majestueuse du hêtre, ou plutôt que celle-ci ne l'a pas encore gagnée, son pied apparaît plus dévoilé encore qu'il ne le serait dans l'ombre. Et plus évidente encore, son attitude si singulière : elle ne bronche pas, ne sent pas que son pied perd son espadrille. Le pied est laissé nu, oublié.

M. Andesmas éprouva alors, contrairement au moment précédent, la nécessité urgente d'intervenir auprès de la femme. Il se souvint. Une petite fille était passée. Et le souvenir de cette petite fille ne pouvait-il pas trouver place ici, entre eux, avoir raison de leur séparation? Sur cette enfant, qui ne serait pas d'accord?

— La petite fille était-elle retournée au

village lorsque vous en êtes partie? demande aimablement M. Andesmas.

La femme se retourna à peine. Sa voix eût été pareille si elle n'eût cessé de discourir depuis son arrivée. Mais le pied resta nu, oublié.

— Oui dit-elle. Elle m'a dit qu'elle vous avait vu. C'est bien après son arrivée que j'ai été obligée de venir vous prévenir que Michel Arc serait encore un peu plus en retard qu'il ne pensait l'être. Il avait dit qu'il le serait d'une demi-heure. Une heure était passée lorsque je suis partie à mon tour.

— Une heure?

— Une heure. Oui.

— Elle ne m'avait pas parlé de temps, mais d'un retard sans plus de précisions.

— Je le croyais, dit-elle. Elle aura oublié. Vous aussi, semble-t-il.

La mer devint une grande surface métallique, parfaitement lisse. Il était inutile de se cacher que des heures plus ralenties, plus étalées, faisaient place à celles, fixes, des premières de l'après-midi.

— J'ai du temps, vous savez, dit M. Andesmas.

— La petite l'a dit à son père. Et même que vous attendriez tant qu'il y aurait de la lumière.

— C'est vrai.

Il ajouta avec timidité, toujours dans la même tentative de la sortir même douloureusement de sa fascination : — Cette enfant avait trouvé ceci sur le chemin. Puis, elle l'a oubliée. Je peux vous la donner. Je vais vous la donner tout de suite, après j'aurai peur de ne plus y penser. Voici.

La pièce de cent francs perdue par l'enfant est enfouie dans le sable. Il en prend une autre dans la poche de son gilet, et la tend dans le vide. La femme ne se retourne même pas, les yeux toujours rivés au gouffre.

— Ça n'a pas d'importance, dit-elle.

Elle ajouta :

— Comme elle ne m'en a pas parlé, elle l'aura déjà oublié. Elle est très enfantine encore, plus qu'elle ne devrait. Mais ce n'est pas grave du tout, ça passera un jour.

M. Andesmas remit la nouvelle pièce de cent francs dans sa poche. Sa masse bougea dans le fauteuil, s'y recroquevilla. De nouveau, le fauteuil grinça.

La femme changea de pose. Elle dénoua ses bras qui tenaient ses genoux; de son pied sans regarder elle chercha son espadrille et elle le chaussa.

— Bien sûr, dit M. Andesmas, ce n'est pas grave du tout, du tout.

Elle ne répondit pas.

M. Andesmas dit qu'il craignit à ce moment-là qu'elle ne se lève et ne s'en retourne au village, mais que si elle l'eût fait, il l'aurait priée de rester. Même en sachant bien qu'elle ne pourrait jamais satisfaire l'avide curiosité qu'il avait d'elle, il souhaita qu'elle fût, près de lui, cet après-midi-là. Près de lui, même en se taisant interminablement, près de lui, il la voulut cet après-midi-là.

S'il la revit ensuite, pendant les années qui s'étendirent entre ces instants et sa mort, ce ne fut que par hasard, lorsqu'il traversait

en auto les rues du village. Jamais elle ne le
reconnut ou ne daigna le reconnaître.

Au lieu de s'en aller, au contraire, elle
reste là et parle toujours de cette voix égale,
et ses paroles sont divulguées d'un long
discours intérieur, elle les laisse échapper
parfois et qui veut bien les entendre les
entend.

— La musique n'a plus recommencé depuis
un long moment, dit-elle; donc le bal devrait
être tout à fait terminé, même dans les rues
qui avoisinent la place où quelquefois on
danse à cause de la chaleur. Ils doivent être
déjà partis, mais prendre leur temps, monter
doucement. Il faut attendre, encore.

— Oh, j'ai du temps, répète M. Andesmas.

— Je sais, dit-elle. Tout le monde le sait.

La spontanéité qu'avait mise M. Andesmas
à la rassurer, la douceur de sa voix aussi,
firent que la rigueur de sa résolution s'en
trouva amollie. Le spectacle qu'elle offrait
à ce vieillard d'une si remarquable déférence
resterait toujours oublié.

Sa voix se fit un peu languissante. Elle

répéta ce qu'avait dit son enfant un moment avant. Elle, elle s'adressa au gouffre vide.

— Je vais attendre un peu, s'il arrivait je redescendrais avec lui.

Elle plonge la tête entre ses bras, et ses cheveux pendant un instant recouvrent son visage.

— Je suis un peu fatiguée.

Non seulement la similitude de leurs expressions mais son ton enfantin eussent pu faire deviner, à qui les aurait vues successivement comme M. Andesmas, qu'elle était la mère de cette petite fille sans mémoire de ses peines.

— Pourquoi ne pas attendre, ne pas vous reposer encore un peu, dit M. Andesmas, avant de redescendre.

— J'ai cinq enfants, dit-elle. Cinq. Et je suis jeune encore comme vous pouvez le voir.

Elle ouvrit les bras, largement, dans un geste d'embrassement. Puis ses bras retombèrent et elle reprit sa pose dédaigneuse, raide, dans le soleil de la plate-forme.

— Ah, je comprends, je comprends, dit M. Andesmas.

Peut-être la conversation pouvait-elle se

poursuivre ainsi, à partir des enfants, de cet aspect de sa vie de mère de famille; peut-être pouvait-elle cheminer ainsi, tricheuse, dans les à-côtés de l'heure présente.

— La petite fille est la plus grande?

— Oui.

M. Andesmas reprit sur le ton du bavardage.

— Un peu avant elle, enfin, vingt bonnes minutes avant elle, un chien est passé. Un chien, comment vous dire? roux, je crois, oui, roux orangé. Est-ce que ce chien serait à vos enfants?

— Pourquoi me demandez-vous ça? demanda-t-elle.

— Mais comme autre chose, dit piteusement M. Andesmas. Je suis là depuis deux heures et je n'ai vu que ce chien et cette enfant. Alors je me suis dit que peut-être...

— Ne vous donnez pas tant de peine pour parler, dit-elle. Ce chien n'est à personne. Il suit les enfants. Il n'est pas méchant. Il n'est à personne dans le village, c'est un chien à tout venant.

L'ombre du hêtre se dirigeait vers elle.
Et alors qu'ils se taisaient tous deux et
qu'elle était toujours dans la scrutation
rigide et fascinée de la place du village,
M. Andesmas, lui, voyait que cette ombre
du hêtre allait vers elle, dans une appré-
hension grandissante.

Surprise tout à coup par la fraîcheur
de cette ombre, s'apercevant qu'il est plus
tard qu'elle ne pensait, va-t-elle s'en
aller?

Elle s'en aperçoit.

Elle voit en effet un changement qui sur-
vient autour d'elle. Elle se retourne, cherche
d'où vient cette fraîcheur, cette ombre,
regarde le hêtre, puis la montagne, et
puis enfin M. Andesmas, longuement, quê-
tant de sa part une dernière certitude qu'elle
paraît attendre encore, qu'elle croit souhaiter
définitive.

— Ah, il est tard vraiment, soupire-t-elle.
Comment est-ce possible qu'il soit si tard
déjà, à voir le soleil qu'il fait.

— Et même si monsieur Arc ne vient pas
ce soir, dit joyeusement M. Andesmas, je

reviendrai par exemple demain ou à la fin de la semaine, qu'est-ce que ça peut faire?

— Pourquoi? Non, non, il viendra je vous assure. Ce dont je m'étonnais c'était de cette facilité que le temps met à passer. Mais je sais qu'il viendra.

Elle se retourna vers la vallée, puis de nouveau vers M. Andesmas.

— Surtout l'été, surtout en juin, ajoute-t-elle.

M. Andesmas l'avait remarqué.

— D'ailleurs, Valérie ne vous l'a-t-elle pas promis qu'il viendrait?

M. Andesmas ne répondit pas tout de suite. Il avait toujours été facile de le prendre de court durant son existence. Et sa lenteur de mouvements et de parole, accrue avec son âge, fit que la femme s'y trompa.

— Je vous ai demandé, monsieur Andesmas, reprit-elle, si Valérie ne vous avait pas promis que mon mari viendrait ce soir?

— C'est Valérie qui m'a mené ici, dit enfin M. Andesmas. C'est elle en effet qui a pris le rendez-vous avec monsieur Arc. Hier, je crois. C'est toujours elle, depuis un an, qui prend mes rendez-vous.

La femme se lève, se rapproche de M. Andesmas, abandonne la scrutation de la vallée, s'assied là, presque aux pieds du vieil homme.

— Alors, vous voyez, dit-elle, il faut donc attendre encore.

M. Andesmas se tint réprimandé devant la femme. Elle s'avança encore, se hala assise, une infirme, vers lui, et sa voix fut aussi haute que si elle se fût adressée à un sourd.

— Et vous avez confiance en Valérie?

— Oui, prononça M. Andesmas.

— Si elle vous a dit qu'il lui avait promis de venir, croyez-moi, c'est seulement une question de patience. Je le connais comme vous vous connaissez Valérie. Il tiendra parole.

Sa voix s'efémina subitement, elle sortit d'un puits de douceur.

— Vous voyez, lorsqu'il met les gens en difficulté c'est qu'il ne peut pas faire autrement. C'est qu'il est au-dessus de ses forces de faire autrement. C'est seulement dans ce cas qu'il a pu vous faire du tort. Il est ainsi fait, sans mauvais vouloir aucun, mais il lui arrive de ne pas pouvoir faire autrement que de paraître en avoir.

— Je comprends, prononça M. Andesmas.

— Je sais que vous comprenez. Valérie n'est-elle pas ainsi?

Elle se pelotonna tout entière sur elle-même. Sa minceur se recouvrit de ses cheveux et de ses bras. Elle dit avec peine :

— Qui, dans le cas présent, n'agirait pas de la sorte? Qui? ni vous autrefois, ni moi aujourd'hui.

M. Andesmas relata par la suite qu'il fut tenté — mais était-il sûr de son passé, ce vieillard? — d'être cruel envers cette femme afin de se protéger de la cruauté dont elle, il le savait, allait faire preuve à son égard. Mais était-ce là la bonne et vraie raison? N'est-ce pas plutôt parce que cette femme si farouchement résolue un moment avant à ne rien laisser paraître de ses sentiments se tient maintenant à ses pieds dans un accablement, un abandon si grand de tout son corps? dans une subordination à ses sentiments devenus tout à coup si impérieux qu'ils la ploient là, devant lui, elle la femme de Michel Arc?

Dans des temps révolus, lorsque ses forces lui eussent permis de la réduire de la sorte, le vieillard se souvient qu'il l'eût fait.

Il fut cruel. Ce fut lui, M. Andesmas, qui parla le premier de Valérie.

— Vous connaissez ma fille Valérie? lui demande-t-il.

— Je la connais, dit-elle.

Elle se redressa, se hissa calmement hors de son silence. Elle parla de Valérie comme un moment avant elle avait parlé de Michel Arc. La cruauté de M. Andesmas ne l'atteignit pas.

— Je la connais depuis un an, précisa-t-elle. Vous êtes arrivés ici il y a un an, n'est-ce pas, presque jour pour jour? C'était un lundi. Un après-midi de juin. J'ai vu pour la première fois Valérie Andesmas, votre enfant, le jour de votre arrivée.

Elle sourit du fond de son puits de douceur au souvenir de cet après-midi-là.

M. Andesmas, lui aussi, sourit à cet après-midi-là.

Ils se retrouvent tous deux, ensemble, devant ce souvenir de Valérie un an avant, enfant.

Ils se taisent, souriants.

Puis, M. Andesmas lui demande :

— Votre petite fille devrait avoir à peu près le même âge, maintenant, que Valérie, l'année dernière?

Elle se refuse gentiment à ce propos-là.

— Ne parlons pas de ma petite fille. Il lui faudra beaucoup de temps pour devenir grande, beaucoup.

De nouveau elle est dans ce mois de juin de l'année dernière que traversa Valérie enfant.

— On disait que vous étiez déjà venu dans le pays, bien avant, des années avant. On disait que vous veniez de vous retirer de vos affaires.

— Oh! il y avait pas mal d'années déjà, dit M. Andesmas, mais elle voulait habiter près de la mer.

— Vous avez commencé à acheter cette

grande maison derrière la mairie, puis des terres. Et puis vous avez acheté cette maison-ci. Et puis des terres encore. On disait que c'était avec la mère de Valérie que vous étiez déjà venu bien avant dans le pays.

M. Andesmas baisse la tête dans une prostration soudaine. La femme le remarque-t-elle?

— Je ne me trompe pas?

— Non non, vous ne vous trompez pas, dit faiblement M. Andesmas.

— Vous êtes très riche. La chose se sut vite. Et les gens venaient à vous pour vous vendre des terres. Vous les achetez, dit-on, négligemment. Vous êtes si riche que vous les achetez sans les voir.

— Riche, répéta M. Andesmas dans un murmure.

— On peut le comprendre et l'admettre vous savez.

Il s'enfonce un peu plus dans son fauteuil et il grogne. Mais la femme, imperturbablement, continue.

— L'étang aussi vous allez l'acheter?

— L'étang aussi, murmura M. Andesmas.

— Valérie disposera donc d'une grande fortune?

M. Andesmas acquiesce.

— Mais pourquoi me parler de ma fortune, soupire-t-il.

— C'est de Valérie que je vous parle dit-elle en souriant, vous vous trompez. Pourquoi achetez-vous tant de terres, tant et tant, de cette façon tellement indifférente?

— Valérie veut tout le village.

— Depuis longtemps?

— Quelques mois.

— Elle ne pourra pas.

— Elle ne pourra pas, répète M. Andesmas. Mais elle le veut.

La femme reprit ses genoux entre ses bras et se délecta dans la prononciation du nom.

— Ah, Valérie, Valérie.

Elle soupire d'aise, longuement.

— Ah, je m'en souviens comme si c'était hier, continue la femme de Michel Arc. Les camions de déménagement sont restés sur la place toute la nuit. Ils étaient arrivés avant vous. Personne ne vous avait encore vus.

Et le lendemain, alors que j'étais à ma fenêtre comme il m'arrive souvent de le faire, et que je regardais la place, c'était près de midi, voici que j'ai vu Valérie.

Elle se relève tout à coup et reste là, debout, très près de M. Andesmas.

— C'était peu avant la sortie de l'école. Je me souviens. Je guettais le retour de mes enfants. Valérie a débouché sur la place. J'ai sans doute été la première à la voir. Quel âge avait-elle donc Valérie?

— Presque dix-sept ans.

— C'est ça, oui. J'avais peur d'avoir oublié. Donc elle a traversé la place comme je vous le disais. Deux hommes — ils l'ont vue après moi — se sont arrêtés pour la regarder passer. Elle passait, la place est grande, elle passait, la traversait, la traversait. Interminablement elle est passée votre enfant, monsieur Andesmas.

M. Andesmas releva la tête et contempla en même temps que la femme ce passage de Valérie, un an avant quand elle ignorait encore la splendeur de sa démarche, dans la lumière de la place du village.

— Indifférente aux regards? demanda
M. Andesmas.

— Ah, si vous saviez!

L'air éclata dans le gouffre de lumière.
Alors qu'on aurait pu croire qu'ils ne
dansaient plus, ils dansent encore.

Mais ni la femme de Michel Arc, ni
M. Andesmas n'en font la remarque.

— Indifférente aux regards, comme nous le
disions, reprit la femme. Nous la regardions,
les deux hommes et moi. Elle a écarté le
rideau de l'Épicerie Centrale. Nous ne l'avons
plus vue pendant le temps qu'elle y est restée,
et cependant aucun de nous trois n'a bougé.

L'ombre du hêtre atteint maintenant le
gouffre. Elle commence à s'y noyer.

— Dans l'Épicerie Centrale, répéta
M. Andesmas.

Il se mit à rire.

— Ah, je sais!

— A cause des camions de déménagement
qui étaient restés sur la place, toute la nuit,
je savais que les gens qui avaient acheté
cette grande maison derrière la mairie allaient

arriver, d'un jour à l'autre. Déjà le nom Andesmas s'était dit. Vous aviez acheté quelques mois auparavant cette maison. On savait que vous étiez seuls tous deux, une enfant et un père déjà vieux, disait-on.

— Si vieux que ça, disait-on?

— Oui, dans la commune on racontait que vous aviez eu très tard cette enfant, d'un dernier mariage. Mais voyez-vous, à voir Valérie si grande, si blonde comme vous savez, je n'ai pas tout de suite fait la relation entre votre arrivée et son existence. Tant de blondeur, me suis-je dit, seulement qu'elle doit être belle.

— Ah, gémit M. Andesmas, je sais, je sais.

— Qu'elle doit être belle, me disais-je, mais l'est-elle autant qu'on peut l'imaginer à partir de son passage, de cette démarche, de ces cheveux?

Elle prend son temps, néglige l'attente du vieillard. Puis elle recommence de sa voix devenue claire, haute, presque déclamatoire.

— Le rideau s'est refermé sur ses cheveux. Et je me suis demandé qui, dans la ville l'avait amenée, qui d'un moment à l'autre allait la rejoindre. Les deux hommes aussi paraissaient étonnés et nous nous questionnions du regard. D'où sortait-elle? Nous nous demandions toujours quel homme possédait cette blondeur, et seulement cette blondeur puisque nous n'avions pas encore vu le visage. Tant de blondeur inutile cela ne pouvait pas s'imaginer. Alors? Elle tardait à ressortir.

Elle se rapproche, s'assied très près du vieillard et cette fois ils se regardent mais le temps qu'elle parle, exactement.

— Et puis, dit-elle, elle a fini par réapparaître. Les rideaux se sont écartés. Nous l'avons vue pendant qu'elle retraversait la place tout entière. Lentement. Prenant son temps. Prenant le temps des autres qui la regardaient comme dû de toute éternité sans le savoir.

— Sans le savoir, répéta M. Andesmas.

Ils furent une fois de plus relégués dans cet instant où elle avait vu complètement, à découvert, pour toujours, la beauté de Valérie Andesmas.

Elle se taisait. M. Andesmas s'était renfoncé dans son fauteuil. Ce fut encore aux crépitements de ce fauteuil d'osier sous ses mains qu'il s'aperçut qu'il tremblait.

— Madame, demanda-t-il, si cette maison est en vente si souvent, comme on me l'a dit, ce n'est pas sans raisons?

Elle sourit, hocha la tête.

— Vous dites n'importe quoi décidément, dit-elle.

Elle ajoute, tout à coup, gravement.

— Mais il doit y avoir une raison, sans doute, oui.

La forêt s'ensoleille. Toutes ses ombres se noient dans le gouffre de lumière, trop longues maintenant pour que la colline les contienne.

— Je n'ai connu aucun des propriétaires de cette maison, dit-elle, mais c'est vrai qu'elle passe de main en main régulièrement. Il y a des maisons qui sont ainsi, on le sait.

Elle en explore les abords très vite et, de nouveau, elle regarde le gouffre de lumière.

— L'isolement, sans doute, à la longue, dit-elle.

— A la longue, c'est possible.

— Parce que, poursuit-elle, dans les premiers temps, les couples, par exemple, pourraient s'y plaire?

— Ah sans doute, sans doute, murmure M. Andesmas.

— Et puis cette lumière, l'été, si dure.

— Elle ne l'est plus, dit-il, maintenant. Regardez.

Elle ne l'est plus. Des bois et des cultures, la brume s'élève, plus épaisse. La mer est tendrement multicolore.

— Michel Arc avait projeté de l'acheter, voyez-vous, au début de notre mariage continue-t-elle. Mais elle était occupée par vos prédécesseurs. Après, Michel Arc n'en a plus parlé. Je ne l'ai vue qu'une fois, il y a trois ans en menant mes enfants à l'étang. En été.

— Personne n'avait encore pensé à une terrasse? Ce serait la première fois?

— Ah bien sûr que si, Michel Arc y avait pensé.

— Lui seul?

— Les autres? Comment le savoir? Même

si, à voir cette plate-forme, on pourrait croire
que l'idée s'en impose, pourquoi personne
avant vous ne l'a eue? Si vous le savez,
dites-le-moi, monsieur Andesmas.

— L'argent?

— Non.

— Le temps?

— Eh! Peut-être, monsieur Andesmas, le
temps de la faire avant de quitter cette
maison à cause de cet isolement à la longue
insupportable dont nous parlions. Vous ne
croyez pas?

M. Andesmas ne répond pas.

Elle se retourne.

Pendant un court instant, elle voit enfin
cette forme, définitive, abominablement. Il
n'a même plus la tentation de s'exprimer.
Et alors, sans doute éprouve-t-elle pour
tant d'existence passée un certain intérêt.
M. Andesmas le comprend à ce regard mi-clos
qui s'attarde sur lui. Plus tard, il dit
avoir reconnu là la plus grande des vertus
de cette femme, celle qui dans un moment pareil avait pu, même l'espace de quelques secondes, la faire se désintéresser d'elle-

même en faveur de son immense vie éteinte et glacée.

— Sa mère vous avait quitté, dit-elle très doucement, et elle a eu d'autres enfants depuis avec différents hommes? un procès a eu lieu?

M. Andesmas hoche la tête.

— Un procès très long, très coûteux? continue-t-elle.

— J'ai gagné, vous voyez bien, dit M. Andesmas.

Elle se relève encore lentement, s'approche encore plus de lui. Elle prend le bras du fauteuil et reste ainsi à le regarder, penchée.

Ils se trouvent très près l'un de l'autre : Si elle tombait il recevrait son visage sur le sien.

— Vous aviez pour elle de très grandes espérances sans doute?

Il reçoit sur lui l'odeur d'une robe d'été et des cheveux défaits d'une femme. Personne ne s'approche plus à ce point de M. Andesmas désormais, excepté Valérie. Cette approche de la femme de Michel Arc l'emporte-t-elle en importance sur ce qu'elle dit?

— Je n'avais pas d'idées là-dessus, dit-il tout bas, pas encore. Vous comprenez. Aucune idée. C'est pourquoi peut-être je peux vous paraître désemparé.

Il ajoute encore plus bas.

— Je ne sais plus rien de ce que je savais avant d'avoir eu cette enfant. Et, voyez-vous, depuis que je l'ai, je n'ai plus d'idée sur rien, ah, je ne sais plus rien que mon ignorance.

Il rit, essaie tout au moins, comme il le fait désormais, à faux.

— Je suis bien stupéfait, croyez-moi, devant une telle possibilité de la vie. L'amour de cette enfant qui survit à mon âge, à ma vieillesse, ah!

La femme se redresse. Sa main quitte le fauteuil. Son ton devient, mais à peine, plus bref.

— J'avais envie, dit-elle, de parler à quelqu'un de Valérie Andesmas. Je vous assure que vous pouvez supporter cet inconvénient.

— Je ne le sais pas, se plaint M. Andesmas, je ne sais pas si je le peux.

— Il vaut mieux. Personne ne vous a parlé d'elle et la voici grande, il vaut mieux.

L'ombre avait maintenant gagné toute la plate-forme. C'était déjà celle de la colline. L'ombre du hêtre et celle de la maison, elles, étaient tout entières basculées dans le gouffre.

La vallée, le village, la mer, les champs sont encore dans la lumière.

Des bandes d'oiseaux, de plus en plus nombreuses, s'échappent de la colline et tournent, folles, dans le soleil du vide.

L'ombre gagne plus vite cette maison que celles du village. Personne n'y a encore pensé, ni M. Andesmas, ni Valérie. La femme, elle, le remarque.

— Valérie va perdre une heure de lumière sur le village, ici, dit-elle.

— M. Arc ne me l'avait pas dit, voyez-vous.

— Le savait-il? Même quand il s'était agi de l'acheter pour nous deux, il n'en avait pas fait la remarque — elle ajoute — il y a dix ans.

— Ce qui fait peine, c'est de voir si près le soleil, là.

— Il faut être ici comme nous, pour le remarquer. Sans cela qui y penserait, avant?

Elle fait quelques pas dans le chemin, revient, puis s'assied comme à contre-cœur cette fois à quelques mètres du vieillard.

— Valérie me fait beaucoup souffrir, dit elle.

Elle a parlé sur le même ton des inconvénients de la maison de telle façon qu'on peut croire que le monde entier souffre à ses yeux d'un désordre contagieux, mais seulement de cela.

La douceur d'un passé récent qui contient pêle-mêle le passage de Valérie Andesmas sur la place du village et ce qui s'en est suivi, sa souffrance aussi, sont à égalité des aspects de ce désordre.

Elle repart à nouveau vers le chemin de cette démarche qui est la même que celle de sa petite fille un moment avant, légère, un peu de travers, les jambes seules se mouvant sous le corps droit, sans effort. Et une nouvelle fois, même au plus profond de sa vieillesse, M. Andesmas peut apercevoir encore, assourdies, moribondes, mais reconnaissables, les raisons qu'on aurait eues de l'aimer. C'est une femme qui ne peut se soustraire à recevoir dans son corps tout entier ses humeurs passagères ou durables. Que celles-ci soient languides, douces, cruelles, les façons de son corps le deviennent aussitôt, à leur image.

Quand elle ressort du chemin, sa démarche est ensommeillée et prudente, extraordinairement enfantine — à s'y méprendre — et on peut supposer qu'elle a été tentée, pendant l'instant où elle s'était trouvée seule dans le chemin, de sortir du calme désastre qu'elle vit. Comme son enfant en eût été tentée.

C'est alors qu'elle n'était pas encore revenue que M. Andesmas comprit qu'il aurait désiré la revoir encore et encore, jusqu'au soir, jusqu'à la nuit et qu'il commença à craindre l'arrivée de Michel Arc qui allait le priver de la voir.

Il lui sourit.

Mais elle passe devant lui sans le regarder. En même temps qu'elle passe sur la plate-forme du vent. Elle traîne le vent derrière elle. Elle en parle.

— Il y a du vent. Il doit être plus tard encore que je ne le pensais. Nous avons bavardé.

— Six heures dix, dit M. Andesmas.

Elle se rassied à l'endroit qu'elle vient de quitter. Toujours loin de lui.

Vient-elle de s'en apercevoir? Ou s'en était-elle déjà aperçue?

— L'auto de Valérie n'est plus sur la place, annonce-t-elle.

— Ah! vous voyez, s'écrie M. Andesmas.

Le chant s'éleva une nouvelle fois, saccagé par la distance. On baissa le pick-up plus vite que la fois précédente.

— Alors je crois qu'ils ne vont pas tarder à venir, dit-elle. Ils sont tous les deux très honnêtes et charmants.

— Ah, comme ils le sont, murmura M. Andesmas.

Elle se lève encore, repart encore vers le chemin, en revient encore, toujours en proie à cette occupation, l'écoute passionnée des bruits de la forêt dans la direction du chemin. Elle revient, s'arrête, les yeux mi-clos.

— On n'entend pas encore monter l'auto, dit-elle.

Elle écoute encore :

— Mais le chemin est difficile, plus long qu'on ne pense.

Elle jette un regard absent sur la masse immobile de M. Andesmas enfermée dans son fauteuil.

— Il n'y a qu'à vous que je peux parler d'elle, vous le comprenez?

Elle repart, revient, repart encore.

Se rend-elle compte que M. Andesmas ne la quitte pas des yeux? Sans doute non, mais le saurait-elle que ce regard ne la distrairait pas de son écoute de la forêt, de la vallée, de toute la contrée, depuis ses horizons les plus reculés jusqu'à cette plate-forme. L'impossibilité totale dans laquelle se trouve M. Andesmas de trouver quoi faire ou dire pour atténuer ne fût-ce qu'une seconde la cruauté de ce délire d'écoute, cette impossibilité même l'enchaîne à elle.

Il écoute comme elle, et pour elle, tout signe d'approche de la plate-forme. Il écoute tout, les remuements des branches les plus proches, leurs froissements entre elles, leurs bousculades, parfois, lorsque le vent augmente, les sourdes torsions des troncs des grands arbres, les sursauts de silence qui paralysent la forêt tout entière, et la reprise soudaine et enchaînée de son bruissement par le vent, les cris des chiens et des volailles au loin, les rires et les paroles à cette distance confondus tous dans un seul discours, et les chants, et les chants.

> *Quand les lilas*
> *... mon amour*
> *Quand notre espoir...*

Dans une perspective unique, ils écoutent tous deux. Ils écoutent aussi la douceur égorgée de ce chant.

Le vent l'échevelait chaque fois qu'elle revenait du chemin. Il soufflait plus souvent et un peu plus fort. Inlassablement, en revenant vers M. Andesmas, de sa main, elle ramenait ses cheveux en arrière et les tenait ainsi quelques secondes, et son visage dénudé devenait celui d'étés révolus où nageant auprès de Michel Arc elle devait s'entendre dire qu'elle était belle, ainsi, pour lui, Michel Arc.

Une fois, le vent est assez fort pour ramener la masse entière de ses cheveux sur son visage et elle, lassée de devoir faire une nouvelle fois ce geste machinal, de les ramener en arrière, ne le fait pas. Elle n'a plus de visage, ni de regard. Au lieu d'avancer sur la plate-forme, elle reste là, dans le chemin, attendant que prenne fin la bourrasque qui l'a échevelée.

La bourrasque prend fin et elle fait de nouveau ce geste raisonnable. Son visage réapparaît.

— Tant de blondeur, tant et tant de blondeur inutile, ai-je pensé, tant de blondeur imbécile, à quoi ça peut servir? Sinon à un homme pour s'y noyer? Je n'ai pas trouvé tout de suite qui aimerait à la folie se noyer dans cette blondeur-là. Il m'a fallu un an. Un an. Une curieuse année.

L'ombre commence à gagner les champs, elle s'approche du village.

Des rumeurs plus nombreuses, plus touffues montent de la vallée.

Le chemin reste vide.

— Les gens sont dans les rues, dit-elle.

— Vous en étiez, Madame, dit précipitamment M. Andesmas, vous en étiez à me dire que les rideaux de l'épicerie s'étaient écartés.

— Et l'auto n'est plus là, reprit-elle. Et on ne danse plus. Et il fait déjà trop frais pour aller à la plage.

Elle vient vers le vieillard, lentement. Et lentement, elle parle.

— Les rideaux se sont écartés. J'ai mon temps, j'ai du temps, pour vous le raconter. Oui. Les rideaux se sont écartés. Et elle a retraversé la place tout entière, dans l'indifférence. Je vous l'ai dit déjà. Je pourrais vous le dire encore. Elle est apparue. Le rideau de perles l'a recouverte, elle s'en est dégagée. Et la retombée du rideau de perles après son passage, mille fois entendu par moi, ce jour-là, je l'ai entendu, de façon presque assourdissante. Je pourrais vous dire aussi comment, d'un geste de nageuse, elle a écarté ce rideau dont elle n'avait pas encore l'habitude, et comme elle a souri en l'écartant, les yeux fermés de crainte de se blesser aux perles, et que ça a été une fois ce rideau franchi, dans la lumière de la place qu'elle a ouvert les yeux, avec un léger sourire de confusion.

— Ah je vois, je vois, cria M. Andesmas.

 La femme reprit plus lentement encore :

— Et puis, prenant son temps, elle a traversé la place.

Le chant recommença.

Elle l'écouta sans parler, attentivement.

— Ainsi, dit-elle ç'a été cette chanson qui aura été à la mode cet été-ci.

Elle recommence à aller dans le chemin, revient encore, et puis, cessant son manège, elle tombe assise d'un seul coup là où elle se trouve. Elle laisse ses cheveux au gré du vent, ses mains sans emploi caressent le sol.

— La beauté, on la connaît tous, dit-elle, à partir de soi-même. Mais que tu es belle, vous dit-on, dans l'amour. Même à partir de l'erreur qui ignore ce qu'il en est d'être belle et la paix qui vous vient à se l'être entendu dire de façon trompeuse ou non? Valérie, non, Valérie, lorsque je l'ai connue, si incroyable que ce soit était encore très loin de se douter combien il est doux et attendu de se l'entendre dire. Mais sans le savoir, elle y aspirait, elle cherchait qui, un jour, allait venir vers elle, ces mots à la bouche, pour elle.

— Elle a traversé la place, dit M. Andesmas, vous en étiez là.

— Elle était déjà grande, monsieur Andesmas, grande votre enfant, je vous le dis.

Un répit se fit dans le village.

La bouche entrouverte, hébétée à force d'attention, elle se tait — elle suit des yeux l'auto noire de Valérie sur la route qui borde la mer. M. Andesmas voit aussi cette auto.

C'est elle qui recommence à parler.

— Il m'a fallu un an, reprend-elle, pour

démêler cet énorme problème que posait l'admirable blondeur de votre enfant. Un an pour en accepter simplement l'existence, admettre cet événement : l'existence de Valérie, et surmonter l'effroi à l'idée que celle-ci était encore offerte sans réserve aucune à qui? à qui?

L'auto de Valérie n'est plus visible.

La route qui contourne la plage s'enfonce dans la forêt de pins qui continue celle-ci au bas de la colline, mais à l'est, encore ensoleillé.

L'embranchement duquel part le chemin de la maison de Valérie a été dépassé par l'auto.

Elle recommence à ramener ses cheveux dans leur ordre à chaque passage du vent. M. Andesmas regarde son geste autant qu'il écoute les paroles. Ce geste reste le même que celui qu'a dû avoir la femme de Michel Arc, toujours.

— Elle le savait, elle le savait déjà, au fond, ce que vous disiez... gémit M. Andesmas.

— On ne le sait pas seule. Non, elle ne le savait pas.

M. Andesmas se souleva de son fauteuil
et dit tout bas.

— Mais elle le sait, elle le sait.

La femme s'y trompa, crut que la question
était posée. Elle y répondit.

— Vous ne devriez pas poser cette horri-
ble question, dit-elle. Demain, ou cette nuit,
peut-être le saura-t-elle?

Elle scruta avec sévérité la masse informe
de M. Andesmas.

— Avez-vous vu son auto le long de la
plage, monsieur Andesmas?

— Je l'ai vue.

— Alors nous en sommes au même point
tous les deux en cet instant qui est peut-être
celui où elle l'aura appris.

Très vite elle est ailleurs, crucifiée sur cette
place ensoleillée où passait Valérie.

— Cette première traversée de cette place,
dit-elle, ce matin-là, par Valérie si blonde,
comme vous le savez vous aussi, vous,
son père, cette traversée sous des yeux
nouveaux, elle n'y prit pas garde, certes,
mais cependant elle dit s'en souvenir.

Elle prétend avoir levé la tête et m'avoir vue.

— Mais vous ne pouviez pas ignorer que Valérie était mon enfant, se lamenta M. Andesmas.

— Après sa sortie de l'épicerie, mais bien longtemps après son passage, j'ai compris que Valérie était une enfant. Mais seulement après. Après y avoir pensé.

— Elle est sortie avec? Avec?

— Oui! cria-t-elle.

Un gros rire sourd et prolongé secoua le corps de M. Andesmas. Elle, elle eut un éclat de rire, haut, qui s'arrêta à mi-chemin de sa montée.

— Avec des bonbons! continua-t-elle. Elle ne regardait personne, personne, contrairement à ce qu'elle dit, mais seulement le paquet de bonbons! Un petit arrêt! Elle ouvre le paquet et prend un bonbon, ne pouvant attendre davantage.

Elle regarde la forêt de pins dans laquelle s'est engloutie l'auto de Valérie.

— C'est comme ça, qu'après coup, je m'en suis souvenue comme d'une enfant. Quel âge avait-elle exactement?

M. Andesmas le répéta.

— Plus de seize ans. Presque dix-sept. A deux mois près. Valérie est née en automne. En septembre.

M. Andesmas est comblé de paroles, il tremble sous ce flot inaccoutumé de paroles.

— C'était encore une très petite fille à cause de votre amour. Mais vous ne saviez pas qu'elle allait être très vite, et quoi que vous fassiez pour l'en empêcher, en âge de vous quitter.

Elle se tait. Et dans ce silence, par elle provoqué, le souvenir gracieux d'une douleur ancienne se glisse dans les entrailles de M. Andesmas.

— Mais cette autre petite fille, la vôtre? gémit-il.

Elle ne quitte pas des yeux la forêt de pins qui recouvre de sa masse l'auto de Valérie.

— Laissez-la tranquille, dit-elle.

— Où est-elle? où peut-elle bien être? s'écrie M. Andesmas.

— Elle est là, dit-elle lentement. Là. Elle croit avoir perdu quelque chose, elle cherche sur la place. Je la vois. Elle est là.

Le regard quitte la forêt, erre dans la plaine, se rapproche du village.

— Je la reconnais à sa robe bleue.

Elle pointe son doigt en direction d'un endroit que M. Andesmas ne peut plus voir.

— Là, dit-elle. Elle est là.

— Je ne peux pas la voir, se plaint M. Andesmas.

Le souvenir gracieux de la douleur ancienne remue à peine, en lui, à peine davantage que celui de l'inconsolable remords d'un amour entrevu et, à peine entrevu, égorgé, et entre mille autres, et entre mille autres, oublié.

Le deuil n'en est porté que par la chair très ancienne de ce corps défait. C'est tout. La tête est épargnée cette fois de ce souci d'avoir à souffrir.

— Elle ne trouvera rien, dit M. Andesmas. Rien.

Voit-elle réellement son enfant, qui dans le soleil et la poussière de la place cherche sa mémoire?

— Tandis qu'elle cherche, dit-elle, elle n'est pas malheureuse. C'est lorsqu'elle trouve qu'elle s'inquiète, lorsqu'elle trouve ce qu'elle

cherche, qu'elle se souvient tout à fait d'avoir
oublié.

Elle tourne lentement la tête à nouveau
happée par le spectacle de la forêt de pins et de
la mer. La forêt reste close. La mer est déserte.

M. Andesmas la perd de vue aussi soudai-
nement que tout à l'heure il l'a vue.

Dans un geste frileux, tout à coup, elle
prend ses épaules dans ses bras.

— Petit à petit, jour après jour, j'ai
commencé à penser à Valérie Andesmas qui
allait être très vite en âge de vous quitter.
Vous comprenez?

Elle s'approche du gouffre à pas mesurés,
n'attendant aucune réponse de M. Andesmas.
Celui-ci craint qu'elle lâche ses épaules, il
croit qu'une fois ses épaules lâchées par
elle-même rien ne la retiendra d'aller un peu
plus avant vers le gouffre. Mais elle ne défait
ce geste qu'une fois retournée vers lui. La
crainte de M. Andesmas de la voir s'approcher
du gouffre est si violente qu'il pourrait croire
que sa vieillesse, en cet instant, dans l'inad-
vertance, se retire de lui.

— Vous dormez, monsieur Andesmas?
Vous ne me répondez plus?

M. Andesmas lui montre la mer. M. Andesmas a oublié l'enfant pour toujours.

— Il n'est pas aussi tard que vous le croyez, dit-il. Regardez la mer. Le soleil est encore haut. Regardez-la.

Elle ne regarde pas, hausse les épaules.

— Puisqu'ils viendront de toute façon, et que plus l'heure avance, plus le moment approche où ils vont arriver, pourquoi s'inquiéter?

Des rires ont fusé quelque part sur la colline.

La femme s'immobilise, statufiée, face à M. Andesmas. Les rires ont cessé.

— C'était le rire de Valérie et celui de Michel Arc, crie-t-elle. Ils ont ri ensemble. Écoutez!

Elle ajoute, en riant :

— De quoi, je vous le demande?

M. Andesmas soulève ses mains gourdes et soignées dans un geste d'ignorance. Elle arrive vers lui à pas de fouine, elle paraît très gaie tout à coup. Souhaite-t-il qu'elle s'en aille maintenant? Il imagine la plateforme déserte une fois qu'elle l'aura quittée et alors quand elle arrive vers lui, il l'écoute de toute sa force.

— Vous voulez le savoir? C'est en lui donnant des bonbons que j'ai fait sa connaissance. Gourmande, hein, Valérie?

— Ah, gourmande! acquiesce M. Andesmas.

Il sourit, incurable, à ce souvenir.

— C'est moi, dit-elle, qui lui ai appris à se sauver pendant vos siestes.

M. Andesmas se fit encourageant.

— Il le fallait?

— Oui. Elle supportait encore très mal de vous laisser seul à votre âge. Le seul moment où c'était possible était la sieste, vos longues siestes.

— Cette maison?

— Michel Arc la lui a montrée pendant une promenade.

— La terrasse?

— Ce serait une idée, lui a-t-il dit. Ce serait bien d'avoir une maison, si haut, dans la colline, avec une terrasse d'où on peut voir venir le beau temps, les orages, d'où on entend tous les bruits, même ceux de l'autre côté du golfe, le matin, le soir, la nuit aussi.

— Ils n'ont pas ri tout à l'heure comme vous le prétendiez, dit M. Andesmas. On n'a pas entendu monter l'auto.

— S'ils arrivent par l'étang il y a tant à marcher qu'ils auront laissé l'auto beaucoup plus bas et c'est pourquoi on ne l'aurait pas entendue. Peu importe au fond, nous le saurons bientôt.

Des rires ont fusé encore d'un autre point de la colline. Elle écoute.

— Des enfants peut-être? demande-t-elle. C'est du côté de l'étang que ça arrive.

— Oui, affirme M. Andesmas.

Sa gaieté tombe. Elle revient près du fauteuil, très près.

— Qu'est-ce que vous croyez? demande-t-elle tout bas, est-ce la peine que nous attendions davantage? Tout à l'heure j'ai abusé de votre confiance. Je vous ai dit être sûre qu'ils viendraient, mais ce n'est pas vrai, je ne suis sûre de rien.

— Je ne peux descendre seul sans risquer mourir, dit-il. Mon enfant le sait.

— Je n'avais pas pensé à ça, dit-elle.

Elle rit de cette farce, rit. Lui avec elle.

— Je l'ai dit à votre petite fille. J'attendrai Michel Arc tant qu'il y aura de la lumière. Il y a encore beaucoup de lumière.

— Et elle le lui a dit.

— Alors, alors, voyez.

Elle s'assied aux pieds du fauteuil comme cette petite fille un moment avant. On dirait qu'elle n'attend plus rien. Elle ferme les yeux.

Ses cheveux sont contre l'osier, le caressant.

— Elle a refusé ce que je lui donnais, des bonbons tout d'abord, dit-elle. Comme vous le lui aviez appris. Même les bonbons. Beaucoup de fois.

Elle répéta, dans la fatigue :

— Beaucoup, beaucoup de fois. J'en ai même été parfois presque découragée.

Elle se retourna vers lui, le dévisagea de très près et M. Andesmas baissa les yeux.

Qui regardait encore M. Andesmas désormais, sinon, dans quelque instant difficile à traverser, cette femme et, un moment avant, cette enfant?

— On dirait que vous ne pensez plus à rien, dit-elle encore tout bas.

— C'est mon enfant, murmura M. Andesmas. Son souvenir est en moi, même en sa présence, constamment égal et c'est qu'il me remplit d'une paresse à penser.

— Vous m'écoutez pourtant.

— Vous me parlez d'elle. Était-ce dans votre jardin qu'elle fuyait, pendant la sieste?

— Quand il ne faisait pas trop chaud pour s'y tenir, oui, c'était dans notre jardin.

— Je ne savais rien. Mais ça ne change plus rien pour moi entre le savoir ou l'ignorer.

— Comme vous parlez tout à coup, dit-elle en souriant.

— Quand je me réveille, madame Arc, à mon âge, de ces siestes de vieillard dont vous parlez, d'un sommeil épais comme de la poix, avec mes souvenirs je sais que c'est une plaisanterie très commune de croire qu'il sert à quelque chose d'avoir eu une vie si longue. J'ai encore l'imagination des matinées et des soirées de Valérie, je n'y peux rien. Je crois que je n'atteindrai jamais le moment de ma vie où l'imagination des matinées de Valérie me quittera. Je crois que je mourrai avec tout le poids, l'immense poids de l'amour de Valérie sur mon cœur. Je crois que ce sera ainsi.

Elle eut un élan vers lui, tendre comme pas une seule fois elle ne l'avait été jusque-là.

— Mais Michel Arc est un homme admirable, dit-elle. Ne soyez pas inquiet.

— Je ne crois pas l'être, dit M. Andesmas, encore que peut-être vous ayez raison, je peux l'être sans le savoir. Tout m'arrive si confusément à l'esprit qu'au contraire d'être inquiet il se peut que je sois heureux d'être ainsi avec vous dans la confiance.

— Faites un effort, écoutez-moi encore, supplia-t-elle. Je vous le jure, je connais mieux que personne Michel Arc. Vous allez le voir tout à l'heure. Faites un effort pour le connaître mieux, je vous en conjure. Vous verrez quel homme est Michel Arc.

— Je vous crois, dit distraitement M. Andesmas.

La femme se trouva privée de son attention et s'en inquiéta.

— Vous allez vous endormir, monsieur Andesmas, si je continue à parler de lui?

— Je ne le sais pas, dit encore distraitement M. Andesmas. Quelle douceur de la croire dans ce jardin fermé pendant ces siestes, enfermée dans ce jardin pendant mon triste sommeil.

— Écoutez!

La colline est redevenue parfaitement silencieuse. L'ombre gagne les bords de la mer.

— Je croyais avoir entendu quelque chose, dit-elle.

M. Andesmas prétendit que ce fut à partir de ce moment-là qu'il se lassa, qu'il commença à se détacher d'elle, même d'elle, de cette femme, la dernière qui se serait approchée de lui.

— Ah, je ne me souviens pas qu'elle m'ait quitté tant de fois à l'heure de la sieste, voyez-vous.

— Mais elle rentrait avant votre réveil, monsieur Andesmas. Elle commençait à regarder la montre, toujours, dix minutes avant ce réveil. Et elle s'en allait en courant vers votre jardin et elle refermait bien doucement la grille sur elle, et elle courait encore vers la porte-fenêtre de votre chambre. Voyons, voyons, monsieur Andesmas, qu'allez-vous imaginer?

— Je m'en serais aperçu, une fois au moins, une seule fois.

Il hocha tristement la tête. Elle fit de même. Ils furent ainsi tous deux dans une même commisération sur le cas de M. Andesmas.

— Je vous crois maintenant, dit-elle. Vous n'avez plus de mémoire. Vous n'avez plus aucune mémoire.

— Ah, laissez-moi tranquille, cria tout à coup M. Andesmas.

Quand le lilas fleurira mon amour
Quand le lilas...

Elle écouta le chant, indifférente à la tristesse coléreuse de M. Andesmas.

— Moi, j'ai encore une mémoire, dit-elle, celle de cet homme, Michel Arc, que nous attendons. Mais un jour j'en aurai une bien différente de celle-ci. Un jour je me réveillerai loin de toute mémoire de cet instant.

Elle ajouta, dans une volte-face soudaine :

— Je m'en suis fait un devoir. Vous entendez?

Il avait entendu.

— Oui, oui, dit-il.

— Ah, je les sens déjà venir dans ma vie, les autres hommes, des dizaines, des centaines, nouveaux, ah! qui me débarrasseront de son souvenir, et même du souvenir de cet instant que je vis là devant vous, qui est difficile, presque insurmontable mais que je surmonte comme vous pouvez le voir, grâce à votre présence si polie. Alors, j'aurai honte de vous avoir parlé comme ça, de vous avoir fait confidence de ces difficultés passagères. Vous serez mort peut-être?

Il pencha la tête et regarda le gouffre, à son tour.

— Il me semble bien que vous dites

n importe quoi vous aussi grommela-t-il.

Elle se retourna face au gouffre que M. Andesmas regardait et cria son appartenance présente à Michel Arc.

— Un jour, un jour, un autre homme s'approchera de moi et je sentirai sous son regard les signes d'un premier désir, cette lourdeur, cette chaleur dans mon sang, qui ne me trompera pas. Pareillement. Aucun autre homme ne pourra alors m'approcher, je ne le souffrirai plus, même lui, Michel Arc. Pareillement que lorsque lui...

M. Andesmas lui coupa la parole.

— Valérie a traversé la place le paquet de bonbons à la main. Et puis?

Elle parut stupéfaite pendant une seconde, puis son écoute de la forêt recouvrit chez elle tout étonnement.

— Vous ne savez plus comment elle traverse les places? demanda-t-elle négligemment. Vous avez besoin qu'on vous le raconte?

M. Andesmas rigola.

— Eh! dit-il, je ne dois plus très bien savoir.

— D'autres le sauront bientôt mieux que moi-même, et de plus récente date. Vous n'aurez qu'à vous renseigner auprès d'eux.

— Calmement, indifférente à la chaleur? insista M. Andesmas.

— Oui. Mais comment faut-il s'y prendre pour vous le dire?

— C'est vrai qu'elle est gentille et calme, ma petite Valérie, dit M. Andesmas.

Sans doute a-t-elle maintenant la certitude qu'elle se trouve devant un homme désormais négligeable.

Elle le quitte, va vers le chemin, s'assied, et elle parle seule, le dos tourné.

— Ah, quelle difficulté, raconte-t-elle, quelle difficulté il y a à décrire cette douleur si simple, une douleur d'amour. Quel délicieux soulagement ç'aurait été que de rencontrer quelqu'un à qui pouvoir le raconter! Comment décrire quoi que ce soit à ce vieillard qui est sorti de toutes les difficultés excepté celle d'avoir à mourir, seulement?

— Revenez vers moi, supplia M. Andesmas. Vous vous trompez. Tout le reste, le reste m est égal, à part que vous me parliez encore. Allez, revenez.

Elle obéit à regret, vint vers lui.

— Nous étions, dit-elle, si fidèlement unis de jour et de nuit, si exclusivement, que parfois un regret honteux nous venait de nous voir si enfantinement condamnés à la privation d'autres rencontres plus hasardeuses encore que la nôtre.

M. Andesmas leva la main avec autorité et la tendit vers elle. Elle refusa de prendre cette main.

— Valérie, prononça M. Andesmas. Valérie.

— Elle passa, raconta-t-elle avec ennui, comme vous savez qu'elle passait sur les places, il y a encore un an, sur les places et dans les rues qu'elle trouvait sur son passage. Blonde. Des cheveux dans les yeux, toujours. Occupée à sucer ce bonbon, regardant les autres bonbons, regrettant de ne pas les avoir tous à la fois dans la bouche.

Un immense sourire fixe s'était répandu sur le visage de M. Andesmas.

— Toujours elle a été comme ça, ma petite Valérie.

En bas de la colline, du côté précis par lequel ils devaient arriver, il y eut le ronronnement, gonflé par l'écho, d'un moteur d'auto.

La femme prit la main du vieillard et la secoua.

— Eh, c'est l'auto de Valérie, cette fois! cria-t-elle.

M. Andesmas ne broncha pas.

— Si vieux que vous soyez, si fou, il faut vous y faire, monsieur Andesmas. Écoutez! L'auto s'arrête!

— Vous me racontez des histoires, dit M. Andesmas.

L'auto s'est arrêtée.

Il y a un instant de silence. Et puis un martèlement jumelé de la terre se fait entendre du côté toujours précis où il devrait se produire si Michel Arc et Valérie Andesmas ou deux autres personnes différentes viennent.

— Il faut que votre amour de Valérie s'habitue à être loin de son bonheur. Que notre éloignement à tous les deux soit parfait, incomparable. Vous entendez monsieur Andesmas?

Le sourire ne s'effaçait pas sur le visage de M. Andesmas. Il se souvint toujours de ce visage déchiré et paralysé — le sien — par ce sourire qu'il ne pouvait ni justifier, ni arrêter.

Au martèlement jumelé des pas se mêlèrent des rires sourds et réservés sans raillerie aucune, sans gaieté non plus, mais qui, comme ce sourire de M. Andesmas, ne s'arrêtaient pas.

La femme les écouta puis elle se rapprocha de M. Andesmas, dans un élan animal, d'épouvante.

— Je n'ai pas reconnu ces rires, dit M. Andesmas. Ce serait, d'après moi, ceux d'enfants qui vont à l'étang.

— Ils arrivent! dit précipitamment la femme. Ce sont des rires différents de ceux que nous leur connaissons, ce sont leurs rires nouveaux. Quand ils sont ensemble c'est comme ça qu'ils rient, je le sais bien! Écoutez! Comme ils sont lents à venir! Ils avancent à regret. Ah! qu'ils sont lents!

— Quel ennui! murmura M. Andesmas.

La femme s'éloigne de M. Andesmas. Dans une exubérance de gestes, extravagante elle va et vient sur la plate-forme, s'échevelant, se tordant les mains, longeant imprudemment l'à-pic. Mais M. Andesmas, occupé seulement à essayer de s'enlever ce sourire paralysant de la figure, ne s'effraye plus.

L'ombre a atteint non seulement les bords de la mer mais la mer elle-même, presque tout entière. M. Andesmas croit être sorti d'une sieste énorme, de plusieurs années.

— Comment vont-ils l'apprendre? continua la femme. C'est la seule chose qui reste à savoir.

Elle cherche ses mots et déclare calmement :

— La seule chose qui échappera tout à fait à notre connaissance.

Il ne resta plus qu'un fil de lumière, entre l'horizon et la mer. M. Andesmas souriait toujours.

— Comment vont-ils se le dire? Alors que

tout le village le sait, tout le monde, et que
tout le monde attend cet instant?

— Je me fiche de ce que vous dites,
dit M. Andesmas. Mais parlez je vous en
prie.

— Il ne reste que quelques minutes
avant leur arrivée, regardez comme il est
tard.

— Ils ne savent rien? demande enfin
M. Andesmas.

— Non. Rien. Ce matin, encore rien.

— Ni Valérie mon enfant?

— Non. Ni Valérie, ni Michel Arc.

Quand le lilas fleurira mon amour

— Écoutez! C'est Valérie qui chante!

M. Andesmas ne répondit pas. Alors elle
revint encore une dernière fois vers lui, prit
encore sa main et la secoua.

— Après qu'elle eut traversé la place,
est-ce que vous désirez savoir comment nous
nous sommes connues? Je souffre énormé-
ment, il faut que je vous le raconte. Vous
êtes si vieux, vous pouvez tout entendre?

— C'est votre petite fille qui remonte, dit M. Andesmas. C'était elle. J'ai reconnu sa voix.

— Ils vont être là qans quelques minutes, supplia la femme. Je ne vous raconterai rien de plus que ce qui sera nécessaire. Je vous en prie.

— Je n'écouterai plus rien, la prévint M. Andesmas.

Elle parla cependant, sa main sur la sienne, la secouant ou la caressant tour à tour, pendant les quelques minutes qui restèrent avant l'arrivée éblouie des autres devant le gouffre rempli d'une lumière uniformément décolorée.

DU MÊME AUTEUR

Aux Éditions Gallimard

LA VIE TRANQUILLE.

UN BARRAGE CONTRE LE PACIFIQUE.

LE MARIN DE GIBRALTAR.

LES PETITS CHEVAUX DE TARQUINIA.

DES JOURNÉES ENTIÈRES DANS LES ARBRES.

LE SQUARE.

DIX HEURES ET DEMIE DU SOIR EN ÉTÉ.

L'APRÈS-MIDI DE MONSIEUR ANDESMAS

LE RAVISSEMENT DE LOL V. STEIN.

LE VICE-CONSUL.

L'AMANTE ANGLAISE.

ABAHN SABANA DAVID.

L'AMOUR.

Théâtre

THÉÂTRE I : Les eaux et forêts — Le square — La musica.

THÉÂTRE II : Suzanna Andler — Des journées entières dans les
   arbres — Yes, peut-être — Le shaga — Un homme est venu me
   voir.

THÉÂTRE III : La bête dans la jungle — Les papiers d'Aspern
   — La danse de mort

LA MOUETTE d'Anton Tchekhov, *texte français de Marguerite Duras.*

LA MUSICA DEUXIÈME.

Scénarios

HIROSHIMA MON AMOUR.

UNE AUSSI LONGUE ABSENCE (En collaboration avec Gérard Jarlot).

NATHALIE GRANGER, *suivi de* LA FEMME DU GANGE.

INDIA SONG, *texte, théâtre, film.*

Aux Éditions de Minuit

MODERATO CANTABILE.

DÉTRUIRE, DIT-ELLE.

LE CAMION.

L'HOMME ASSIS DANS LE COULOIR.

L'ÉTÉ 80.

AGATHA.

L'HOMME ATLANTIQUE.

SAVANNAH BAY.

LA MALADIE DE LA MORT.

LES PARLEUSES *avec Xavière Gauthier.*

LES LIEUX DE M. DURAS *avec Michelle Porte.*

L'AMANT.

Aux Éditions de l'Étoile

LES YEUX VERTS.

L'IMAGINAIRE
GALLIMARD

Axée sur les constructions de l'imagination, cette collection vous invite à découvrir les textes les plus originaux des littératures omanesques française et étrangères.

Volumes parus

1. Raymond Queneau : *Un rude hiver.*
2. William Faulkner : *Les palmiers sauvages.*
3. Michel Leiris : *Aurora.*
4. Henri Thomas : *La nuit de Londres.*
5. Max Jacob : *Le cabinet noir.*
6. D. H. Lawrence : *L'homme qui était mort.*
7. Herman Melville : *Benito Cereno et autres contes de la Véranda.*
8. Valery Larbaud : *Enfantines.*
9. Aragon : *Le libertinage.*
10. Jacques Audiberti : *Abraxas.*
11. Jean Grenier : *Les îles.*
12. Marguerite Duras : *Le vice-consul.*
13. Jorge Luis Borges : *L'Aleph.*
14. Pierre Drieu la Rochelle : *État civil.*
15. Maurice Blanchot : *L'arrêt de mort.*
16. Michel Butor : *Degrés.*
17. Georges Limbour : *Les vanilliers.*
18. George du Maurier : *Peter Ibbetson.*
19. Joseph Conrad : *Jeunesse* suivi de *Cœur des ténèbres.*
20. Jean Giono : *Fragments d'un paradis.*
21. Malcolm Lowry : *Ultramarine.*

22. Cesare Pavese : *Le bel été*.
23. Pierre Gascar : *Les bêtes*.
24. Jules Supervielle : *L'homme de la pampa*.
25. Truman Capote : *La harpe d'herbes*.
26. Marcel Arland : *La consolation du voyageur*.
27. F. Scott Fitzgerald : *L'envers du paradis*.
28. Victor Segalen : *René Leys*.
29. Paul Valéry : *Monsieur Teste*.
30. C.-F. Ramuz : *Vie de Samuel Belet*.
31. Marguerite Yourcenar : *Nouvelles orientales*.
32. Louis-René des Forêts : *Le bavard*.
33. William Faulkner : *Absalon! Absalon!*
34. Jean Genet : *Pompes funèbres*.
35. Ernst Jünger : *Le cœur aventureux*.
36. Antonin Artaud : *Héliogabale*.
37. Guillaume Apollinaire : *La femme assise*.
38. Juan Rulfo : *Pedro Páramo*.
39. Eugène Zamiatine : *Nous autres*.
40. Marcel Proust : *Les plaisirs et les jours*.
41. André Pieyre de Mandiargues : *Soleil des loups*.
42. Maurice Sachs : *Le Sabbat*.
43. D. H. Lawrence : *L'arc-en-ciel*.
44. Henri Calet : *La belle lurette*.
45. Rómulo Gallegos : *Doña Bárbara*.
46. Georges Lambrichs : *Les fines attaches*.
47. Ernst Jünger : *Sur les falaises de marbre*.
48. Raymond Queneau : *Les œuvres complètes de Sally Mara*.
49. Marguerite Duras : *L'après-midi de monsieur Andesmas*.
50. T. E. Lawrence : *La matrice*.
51. Julio Cortázar : *Marelle*.
52. Maurice Fourré : *La nuit du Rose-Hôtel*.
53. Gertrude Stein : *Autobiographie d'Alice Toklas*.
54. Hoffmann : *Le chat Murr*.
55. Joë Bousquet : *Le médisant par bonté*.
56. Marcel Jouhandeau : *Prudence Hautechaume*.

Ouvrage reproduit
par procédé photomécanique.
Impression S.E.P.C.
à Saint-Amand (Cher), le 2 juillet 1985.
Dépôt légal : juillet 1985.
Premier dépôt légal : octobre 1979.
Numéro d'imprimeur : 1129.

ISBN 2-07-028664-9. Imprimé en France.

35738